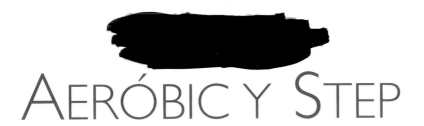

AERÓBIC Y STEP

Ruth Arteaga Gómez

LIBSA

Dedico este libro a todos los que me
quieren y apoyan (ya sea en la lejanía o
en la cercanía), en especial a mis padres,
mi hermano y mi perro.
¡Sois el motor de mi vida!
Gracias, mamá.
Mil gracias a todos por existir
y hacerme existir a mí.

© 2008, Editorial LIBSA
C/ San Rafael, 4
28108 Alcobendas. Madrid
Tel. (34) 91 657 25 80
Fax (34) 91 657 25 83
e-mail: libsa@libsa.es
www.libsa.es

I.S.B.N.: 978-84-662-1461-2

COLABORACIÓN EN TEXTOS: Ruth Arteaga Gómez
EDICIÓN: equipo Editorial LIBSA
DISEÑO DE CUBIERTA: equipo de diseño LIBSA
MAQUETACIÓN: Equipo de maquetación LIBSA
DOCUMENTACIÓN Y FOTOGRAFÍAS: Antonio Beas y archivo LIBSA
ESTILISMO: Ruth Arteaga, Isaac Astudillo,
Raquel Cantarero y David Vázquez

Los editores agradecen especialmente su colaboración a AEMA TRIMSPORT,
por el préstamo del vestuario y material deportivo específico
para la realización de las sesiones fotográficas.

CONTENIDO

INTRODUCCIÓN AL AERÓBIC Y AL STEP

¿QUÉ ES EL AERÓBIC Y EL STEP?

AERÓBIC Y STEP = EJERCICIO **AERÓBICO**

Si nos ceñimos a la traducción literal del término aeróbic (*con oxígeno: O²*), podremos deducir que el ejercicio aeróbico será el responsable de oxigenar el cuerpo, de nutrir las células u otras partes internas del organismo, al practicarlo. Más concretamente, llamamos aeróbico a:

- Todo aquel ejercicio que se realiza durante un tiempo relativamente largo y con una intensidad moderada, lo cual hace que se necesite una cantidad considerable de oxígeno para ser realizado.
- Todo aquel ejercicio que es capaz de estimular la actividad cardiovascular y respiratoria durante un tiempo lo suficientemente largo como para producir en nuestro cuerpo toda una serie de beneficios; es decir, el aumento de actividad que se produce en nuestros pulmones, corazón y sangre al practicar este tipo de ejercicios aeróbicos.

Todo ello producirá en nosotros una serie de efectos:

- Aumento de nuestra resistencia y capacidad de soportar mayores esfuerzos físicos sin fatigarnos en exceso a medida que pasa el tiempo:

  - Aumento de la capacidad de rendimiento orgánico.
  - Desarrollo del sistema cardiovascular.

- Mejora de la circulación sanguínea y liberación de toxinas.
- Será una de las mejores formas para perder peso, porque una vez superada la media hora de actividad aeróbica se empiezan a quemar las primeras grasas, aunque esto puede variar según la persona.
- Tendremos el modo ideal de liberar tensiones y combatir el estrés y la ansiedad que nos proporciona este sistema en que vivimos, en el que, cada día más, se vive y duerme para el trabajo. Hay que tener en cuenta que muchos de nosotros no acudimos a hacer ejercicio solamente por cuidar nuestro aspecto físico, sino también para cuidar nuestro estado psicológico. Hoy en día vivimos en una sociedad muy estresante, a un ritmo muy intenso y necesitamos actividades que nos ayuden a desinhibirnos, así que mientras realizamos deporte desconectamos de la rutina y los posibles problemas que ocupen nuestra cabeza.
- Desarrollo de la fuerza, flexibilidad y coordinación.

HISTORIA

Desde la década de los 70, la práctica de la gimnasia aeróbica ha ido creciendo en todo el mundo. Los orígenes del aeróbic tal y como lo entendemos en la actualidad, podemos situarlos en el año 1968, que es la primera vez que encontramos algo escrito y relacionado con esta práctica. En este año apareció publicado por primera vez en EE. UU. un libro titulado *Aerobics*. Su autor el Doctor Kenneth H. Cooper, médico de las Fuerzas Armadas estadounidenses, expone en la obra lo beneficioso que es para el cuerpo humano el trabajo cardiovascular y el programa de entrenamiento que él mismo diseñó para los miembros de las Fuerzas Armadas de su país.

En 1969 Jackie Sorensen propone a Kenneth H. Cooper la posibilidad de utilizar la danza aeróbica como método de entrenamiento gimnástico para las esposas de los militares norteamericanos en una base de Puerto Rico, frente a la tradicional gimnasia de mantenimiento. Tras el éxito de *Aerobics* Kenneth publicó en 1970 un segundo tratado sobre el aeróbic adaptado a personas mayores de treinta y cinco años titulado *The new aerobics* y uno tercero adaptado especialmente a mujeres titulado *Aerobics for Women*. Jackie Sorensen funda ese mismo año en New Jersey el *Aerobic Dancing* primer estudio donde se ofrecen clases de aeróbic al público en general.

A partir de este programa inicial, se empieza a expandir la moda del Jogging por muchos países; ya que es la forma más popular de practicar un entrenamiento aeróbico de resistencia combinando este deporte con la música y otras disciplinas diferentes que dieron como resultado la danza aeróbica: divertida y fácil de practicar, es un extraordinario ejercicio para el cuerpo y un entretenimiento lúdico.

Pero las ventajas que el aeróbic proporciona al cuerpo no fueron monopolizadas por el estamento militar. Se empezó a difundir por muy diversos países gracias, en parte, a la aportación de algunas personas famosas como Jane Fonda o Sidney Rome, que tras descubrir el sentido lúdico de este tipo de ejercicio y sus extraordinarios efectos para el organismo, decidieron contribuir en la tarea de darlo a conocer. Fue la actriz norteamericana Jane Fonda la que se encargó de ello ya que de algún modo se erigió como símbolo de transmitir al resto de la población americana el mundo del aeróbic. Las clases interactivas a través de libros y vídeos, sumado a la popularidad de la actriz, introdujeron el aeróbic en muchos hogares de EE. UU.

En estos primeros pasos el aeróbic fue bien recibido aunque las lesiones y la falta de asistencia a las clases de los gimnasios no catapultaron esta actividad. Se necesitaron unos cuántos años para controlar la actividad de manera eficaz y segura para todos sus practicantes.

EVOLUCIÓN

El aeróbic, a lo largo de su historia, ha ido suprimiendo un gran número de ejercicios para ser más seguro y efectivo, a la vez que ha incorporado nuevas modalidades, y así, ha surgido una amplia gama de clases destinadas a conseguir un programa de entrenamiento completo, variado y divertido. En definitiva, un entrenamiento seguro y efectivo con un formato concreto para su práctica.

NUESTRO FORMATO DE PRÁCTICA AERÓBICA (UNA HORA)

Esta sería la estructura aeróbica que proponemos:

1. CALENTAMIENTO: 10 minutos aproximadamente.
2. SECCIÓN CARDIOVASCULAR: 40 minutos aproximadamente.
3. ESTIRAMIENTO O *COOLDOWN*: 10 minutos aproximadamente.

Importancia del calentamiento

Uno entre tantos errores de los que se cometieron en el principio de la práctica aeróbica y que evitaban que la actividad se catapultase de manera definitiva, fue la poca importancia que se dio al calentamiento o primera fase del ejercicio aeróbico, ya que tanto alumnos como instructores preferían pasar a la acción y de ahí que se produjesen muchas lesiones innecesarias como contracturas o tendinitis.

El calentamiento es imprescindible porque prepara física y psíquicamente.

Un calentamiento es la preparación física y mental del alumno. Físicamente, eleva la temperatura corporal y en consecuencia las pulsaciones (entreno cardiovascular progresivo) haciendo que nuestros músculos y tendones se adapten mejor al ejercicio.

Pongamos el ejemplo de un trozo de plastilina. Cuando un niño juega con plastilina y esta mantiene una temperatura fría, al intentar moldearla, se rompe y no coge la forma que le queremos dar... por el contrario cuando este trozo de plastilina se calienta, el

niño lo moldea a su antojo dándole la forma deseada. Pues nuestros músculos se comportan como este trozo de plastilina... si están fríos y les obligamos a realizar de manera brusca cualquier actividad aeróbica, no estarán preparados y reaccionarán lesionándose. Igualmente, si este músculo no está lo suficientemente caliente, tampoco estará preparado para experimentar un cambio de tamaño con cualquier estiramiento estático y al ser estático, como su propio nombre indica, el conjunto de estiramientos que queremos practicar en dicho calentamiento no sube lo suficiente la temperatura corporal; es decir, una pescadilla que se muerde la cola.

Por todos los errores cometidos en la práctica aeróbica y por los estudios de Biomecánica y Fisiología que se han hecho al respecto en años de experiencia, el calentamiento actual se caracterizará por tener dos partes que ya veremos en su momento.

ESTILOS

En la actualidad encontramos una gran variedad de estilos de práctica aeróbica. Algunos ejemplos son: *step, aerobox, aero-local, aerosalsa, aerofunk, reggaegym*, etc.; todas estas actividades se extienden por el mundo y cuentan con un elevado número de practicantes de ambos sexos.

En el caso del step en un principio solo se utilizaba en programas de rehabilitación y para comprobar el estado físico de las personas y su nivel de pulsaciones. En cambio, ha evolucionado hasta convertirse en uno de los estilos aeróbicos más conocidos y practicados. A diferencia del aeróbic, en la práctica del step los ejercicios se realizan sobre una plataforma que tiene una superficie amortiguadora y antideslizante y quema calorías tres veces más rápido que el aeróbic normal.

BENEFICIOS

Hoy día, la práctica aeróbica posee innumerables seguidores en todo el mundo. En 1988 era el tercer deporte más practicado en EE. UU. pasando a ocupar el segundo lugar un año después.

Multitud de practicantes se están beneficiando desde hace algunos años de este ejercicio tan saludable y completo, ya que en él no solo se trabaja la resis-

El aeróbic es uno de los deportes más saludables y completos.

tencia sino que además se potencia la flexibilidad, la coordinación, la fuerza e incluso la habilidad. Sus beneficios rebasan el campo físico. Se ha constatado la gran mejoría que experimenta el estado anímico del practicante de aeróbic, que gana seguridad en sí mismo, ve cómo mejoran sus relaciones sociales y vence sus complejos con mayor facilidad. Médicamente, se ha comprobado una mejora integral de los ancianos, de las embarazadas, de los convalecientes o de disminuidos psíquicos.

El aeróbic se practica:

1. Para mejorar el aspecto físico.
2. Para quemar calorías extra.
3. Para moldear el cuerpo.
4. Para mejorar el bienestar psíquico.
5. Para mantenerse en forma.
6. Para divertirse, expansionarse y crear amistades.

100% EQUILIBRADO

Se necesitaron unos cuantos años para controlar la actividad de manera eficaz y segura para todos sus practicantes; en definitiva, para conseguir un entrenamiento seguro y efectivo con un formato concreto para su práctica. Ya con anterioridad, en el apartado de la evolución, hemos podido ver uno de los tantos errores que se cometieron al principio de la práctica aeróbica: no prestar atención al calentamiento, lo que trajo un gran número de lesiones que impedían catapultar la actividad aeróbica a lo más alto.

Otro de los errores que se cometieron y que por su importancia en la práctica cabe destacar fue la asimetría o falta de equilibrio. Definimos asimetría o falta de equilibrio en aeróbic a lo que ocurre cuando no se hace lo mismo con una pierna que con otra; es decir, bien no realizamos el mismo número de repeticiones con ambas piernas o bien no ejecutamos los mismos movimientos.

Es tan sencillo como imaginarnos que estamos subiendo unas escaleras solo con una pierna; por ejemplo, con la pierna derecha subimos cuatro escalones y luego con la izquierda solo uno; o que estamos en la sala de musculación o en clase de tonificación entrenando una pierna y hacemos 15 lunges con la pierna derecha y solo 5 con la izquierda.

Ejercicio de lunges en casa

Como ejemplo de práctica equilibrada, este ejercicio lo podemos practicar cualquiera de nosotros en casa con el palo de la fregona o de la escoba, con o sin peso en los extremos, para trabajar el tren inferior (cuádriceps, glúteos y aductores).

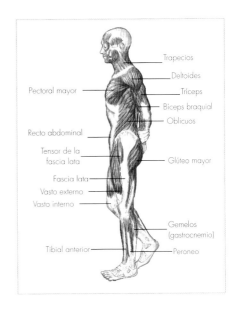

Nos agachamos hacia el suelo, flexionamos para ello las rodillas y así eliminamos toda la tensión que se pueda concentrar en la zona lumbar cuando cargamos peso.

Tomamos la barra con ambas manos y nos levantamos dejando una pierna delante y otra detrás, separadas entre sí por la anchura de las caderas. De esta manera, además de ya estar preparados para el inicio del ejercicio, al cargar la barra repartiremos el peso entre ambas piernas por igual y eliminaremos toda la tensión que se pudiera acumular en la zona lumbar.

Flexionamos los codos y los subimos por encima de la barra acercándonosla a la altura del pecho. Cargamos la barra.

Elevamos la barra por encima de la cabeza.

La apoyamos encima del trapecio, en la zona muscular, donde no nos moleste la zona cervical o el cuello.

Si usáramos más la pierna derecha que la izquierda como en el caso descrito, en el que hacemos 15 lunges con la pierna derecha y sólo cuatro con la izquierda estaríamos creando una descompensación en nuestro cuerpo sobrecargando los grupos musculares flexores de la cadera, gemelos y glúteos de manera que nuestra espalda y caderas sufrirán como consecuencia un desequilibrio muscular que, con el tiempo, nos puede llegar a impedir incluso la práctica del deporte.

Flexionamos las rodillas sin llegar a tocar el suelo, manteniendo el tronco recto, como si nuestra cabeza tuviera un hilo que la cuelga del techo. Las rodillas nunca deben estar colocadas por delante de la punta del pie.

Esta sería la posición inicial con la barra sobre el trapecio, y ambas piernas separadas, con la pierna derecha delante y la izquierda detrás.

VISTA LATERAL

Entrenamiento seguro y efectivo = 100% equilibrado

Durante años la práctica aeróbica no ha sido equilibrada; es decir, no existía el número exacto de repeticiones entre ambas piernas, lo que trajo consigo muchas lesiones innecesarias. Ha llevado muchos años el perfeccionar las técnicas necesarias para conseguir un buen entrenamiento equilibrado o simétrico de la práctica aeróbica.

Es por ello que una gran cualidad que debe tener la práctica aeróbica y que requiere tanta atención por nuestra parte es la simetría (igualdad de uso en la práctica de ambas piernas, o lo que es igual realizar lo mismo con una pierna que con otra). Recordemos: una práctica aeróbica debe contener el número exacto de repeticiones de cualquier movimiento, en ambas piernas (derecha e izquierda) y en ambos lados (lado derecho e izquierdo)... ¡100% equilibrado!

«AERÓBIC», CLASIFICACIÓN
DE LOS MOVIMIENTOS

Para agrupar correctamente los movimientos de aeróbic y entender su contenido antes de iniciar la práctica, tendremos que hacer una doble clasificación:

PRIMERA CLASIFICACIÓN:

BÁSICOS, INTERMEDIOS Y AVANZADOS

La primera clasificación y la más genérica la hacemos en función de la dificultad que pueda contener el movimiento en sí a la hora de poder realizarlo, lo que está directamente ligado con nuestra habilidad coordinativa.

Movimientos básicos

Para este tipo de movimientos no necesitamos un desarrollo excesivo de nuestra coordinación, ni haberlos practicado con anterioridad para poder realizarlos.

Movimientos intermedios y avanzados

Los obtenemos a partir de los movimientos básicos a los que les vamos añadiendo los llamados «elementos de variación», que veremos más adelante detenidamente y que incrementarán la intensidad coreográfica del movimiento progresivamente.

Necesitaremos mayor capacidad coordinativa para poder realizarlos, lo que no quiere decir que nos provoquen frustración, ya que como hemos dicho anteriormente, los obtendremos de la suma de un movimiento básico más una variación... y así sucesivamente hasta obtener el producto final. La intensidad coreográfica de los movimientos básicos, por lo tanto, la iremos incrementando poco a poco de forma lógica y fluida facilitando su aprendizaje y su práctica.

Ejemplo de producto final (BOX o caja)

1 CUATRO MARCHAS
Iniciamos el movimiento de
marcha alternando el movimiento
de piernas.

La marcha consiste en mover los
pies alternativamente, como si
andásemos.

1   2   3

2 UVE
Cambiamos la forma de las marchas
abriéndolas y cerrándolas. El objetivo es
dibujar una uve en el suelo.

1. Abrimos la
pierna directriz
hacia delante.

2. Abrimos la otra pierna
delante a la misma altura
de la anterior.

3. Llevamos la
pierna líder atrás.

4. Cerramos la otra
pierna junto a la
anterior quedándonos
con ambas piernas
juntas.

SEGUNDA CLASIFICACIÓN: PIERNA LÍDER, ALTO Y BAJO IMPACTO

En la segunda clasificación, que no es tan genérica pero sí igual de importante que la anterior, organizaremos los movimientos según cambiemos o no de pierna líder a la hora de realizarlos.

¿Qué es la pierna líder?

Llamamos pierna líder a la pierna que inicia el movimiento, por lo tanto habrá movimientos que al realizarlos no cambiaremos de pierna líder y otros que los iniciaremos con una pierna líder, sea la derecha o la izquierda, y los siguientes los iniciaremos con la contraria; en este caso sí cambiaremos de pierna líder. Con los movimientos que cambian de pierna líder obtendremos el equilibrio en nuestra práctica aeróbica.

También existen movimientos conocidos con el nombre de «neutros», estos movimientos se caracterizan por neutralizar la pierna líder. La posición neutra es en la que nos encontramos con los pies juntos o separados y paralelos entre sí con las rodillas semiflexionadas; al ejecutar un movimiento de pies neutros podemos utilizar indistintamente la pierna líder que queramos.

3 BOX
Cambiamos la forma de la uve imprimiendo una nueva intención a las marchas de la misma.

3. Cruzamos por delante de la anterior la otra pierna.

4. Retrasamos la pierna líder atrás. Volvemos a la posición inicial juntando la otra pierna a la anterior.

1.Posición de inicio con las piernas juntas.

2. Abrimos la pierna líder.

Bajo y alto impacto

Dentro de esta segunda clasificación, encontraremos además esta dicotomía. Bajo impacto define la situación en la que al menos uno de nuestros pies permanece en contacto con el suelo la gran mayoría del tiempo. Alto impacto, en cambio, se refiere a los momentos en los que ambos pies, aunque sea por muy poco tiempo no permanecen en contacto con el suelo.

TIPOS DE **MOVIMIENTOS**

Como ya hemos dicho, en los movimientos de bajo impacto al menos uno de nuestros pies permanece en contacto con el suelo la gran mayoría del tiempo y los iniciamos siempre con la misma pierna.

1 MARCHA O CAMINAR
Apoyamos un pie y a continuación el otro y así sucesivamente.

2 STEP TOUCH O LADO–LADO
1. Partimos de la posición neutra; es decir, con ambos pies juntos.

2. Abrimos la pierna líder hacia el lado de la misma. A continuación, juntamos la otra pierna y así sucesivamente.

1   2

Lunge o touch step

1 LUNGE LATERAL
1. Partimos de la posición neutra.

2. Tocamos con la pierna líder a un lado.

3. A continuación la devolvemos a la posición inicial o neutra.

1   2   3

2 LUNGE ATRÁS
1. Posición inicial desde la postura de pies neutros.
2. Tocamos con la pierna líder atrás.
3. A continuación, la devolvemos a su posición inicial.

3 LUNGE ADELANTE
1. Posición de pies neutros.
2. Tocamos con la pierna líder delante.
3. Vuelta a la posición inicial.

LUNGE ADELANTE

Pierna líder

Pierna líder

LUNGE ATRÁS

RECUERDA
Pierna líder es aquella con la que se inicia el movimiento en el ejercicio.

MOVIMIENTOS ESPECIALES BÁSICOS DE BAJO IMPACTO QUE NO CAMBIAN DE PIERNA LÍDER

Son movimientos que obtendremos a partir de la suma de un movimiento básico más una variación y tienen nombre propio; es decir, que al oír su nombre en la práctica los ejecutaremos por defecto, por ejemplo: paso cruzado o grape vine, uves, mambo, etc. Pero debido a su fácil práctica y el mínimo grado de intensidad que presenta el elemento de variación que sumamos al paso básico, no se les considera movimientos de nivel intermedio o avanzado, incluso hay quienes los consideran movimientos básicos propiamente dichos sin añadirles ese carácter especial que nosotros les estamos dando. No obstante, siendo puristas, es más correcto tener en cuenta la pequeña variación que les añadimos, pudiendo observar que al desglosarlos son producto de los movimiento básicos anteriormente mencionados, como son la marcha, el step touch o lado lado, los lunges, etc., más variaciones de muy pequeña intensidad:

1 PASO CRUZADO O GRAPE VINE

Lo podemos describir como una variación de la marcha, concretamente cuatro tiempos componen un paso cruzado. Incluiremos una cierta dirección en el lugar de la sala a dónde nos dirigimos (lado derecho, izquierdo, atrás, adelante, diagonales, etc.) utilizando la parte lateral de nuestro cuerpo.

1. Abrimos la pierna líder hacia la dirección deseada.

2. Apoyamos la otra pierna atrás flexionando la pierna anterior para facilitar el movimiento.

3. De nuevo, volvemos a abrir la pierna líder.

4. Elevamos la otra pierna acercando el talón al glúteo.

SEGUNDA SERIE
La primera serie se diferencia de la segunda por no utilizar los brazos. Los brazos van con remo bajo y nos ayudan a ejecutar el movimiento.

2 UVE
También es una variación de la marcha, concretamente cuatro marchas, pero esta vez la dirección será el lugar de la sala a donde miremos (hacia delante, lado derecho, lado izquierdo, hacia atrás, frente diagonal derecha (FDD) e izquierda (FDI); y diagonal posterior derecha (DPD) e izquierda (DPI).

1. Abrimos la pierna líder hacia delante.

2. Abrimos la otra pierna delante, a la misma altura que la anterior.

3. Llevamos la pierna líder atrás.

4. Cerramos la otra pierna junto a la anterior, quedándonos con ambas piernas juntas.

3 MAMBO

Otra variación de la marcha. Este ejercicio también va en cuatro tiempos y siempre hay que tener una pierna apoyada en el suelo. La dirección será donde se mire.

1. Posición inicial con pies neutros.

2. Adelantamos la pierna líder como si quisiéramos dar un paso. El brazo debe acompañar como aparece en la foto.

3. El otro pie se levanta del suelo, y lo apoyamos acto seguido, levantando el otro y cambiando los brazos.

A la hora de iniciar cualquier ejercicio comenzaremos con las piernas juntas (pies neutros) y con los brazos arqueados y las manos en las caderas Será la posición inicial básica.

4. Retrasamos la pierna líder atrás distribuyendo de nuevo nuestro peso corporal sobre la misma y por último hacemos la marcha de la otra pierna terminando el mambo.

MOVIMIENTOS BÁSICOS DE ALTO IMPACTO QUE NO CAMBIAN DE PIERNA LÍDER

Recordemos que los movimientos de alto impacto se refieren a los movimientos en que ambos pies no permanecen en contacto con el suelo, aunque sea poco tiempo. Los iniciamos siempre con la misma pierna.

1 CARRERA
Se efectúa desde un pie al otro.

Comenzamos en la postura inicial (pies neutros) y levantamos hacia atrás, flexionando la rodilla, la pierna líder. Acto seguido nos apoyamos en la otra pierna y con impulso damos un pequeño salto. Hay que tener en cuenta que se trata de una carrera, no de un ejercicio de saltos.

Apoyamos un pie y a continuación el otro y así sucesivamente y con impacto… es decir, al menos ambos pies, aunque sea por muy poco tiempo, no permanecen en contacto con el suelo. Repartimos el peso corporal de una pierna a la otra.

1

2

3

4

5

6

2 HOP
Se efectúa desde un pie al mismo pie. Tendremos
que tener cuidado de no hacer demasiadas
repeticiones seguidas con la misma pierna, ya
que esto podría lesionarnos.

1. Apoyamos el pie de
la pierna líder sobre el
suelo.

2. Flexionamos la rodilla
para propulsarnos.

3. Apoyándonos sobre la pierna líder
y con los brazos en posición inicial,
saltamos.

ALTERNATIVA
Nos podemos ayudar con el movimiento
natural de los brazos, practicando remo
bajo a la vez que ejecutamos el
movimiento.

Movimientos básicos de bajo impacto que sí cambian de pierna líder

Iniciamos el movimiento con una pierna, que en este caso sería la pierna líder y en el siguiente con la otra pierna. Recordemos que el bajo impacto se produce cuando al menos un pie permanece en contacto con el suelo la gran mayoría del tiempo.

1 RODILLAS ALTERNAS
Iniciamos el ejercicio apoyando la pierna líder (o pierna directriz) que soporta todo el peso corporal y elevamos la otra pierna flexionada.

Acto seguido, bajamos la pierna cuando haya llegado a formar un ángulo de 90° con el tronco, y subimos la otra pierna. Es un paso parecido a la marcha.

ALTERNATIVA
Es recomendable, una vez que hayamos practicado los movimientos con las piernas, que los coordinemos con los brazos. El brazo estirado subirá a la vez que la rodilla contraria, comenzando un progresivo ángulo de 90°.

2 FEMORALES O CURL DE PIERNA
1. Apoyamos la pierna líder abriéndola ligeramente a un lado.
2. Flexionamos la otra pierna llevando el talón hacia las nalgas.

VISTA LATERAL

Nos podemos ayudar con el movimiento natural de los brazos, practicando remo bajo a la vez que ejecutamos el movimiento.

VISTA FRONTAL

3 PATADAS
1. Apoyamos la pierna líder que soporta el peso corporal.
2. Lanzamos la otra pierna en forma de patada como si quisiéramos dar a un balón.

Aquí también podemos ejecutar el movimiento con los brazos en remo bajo.

Movimientos básicos que no cambian de pierna líder con número impar de repeticiones

1 STEP TOUCH

Un movimiento puede cambiar de pierna líder cuando se realizan un número impar de repeticiones. Parece un ejercicio que cambia de pierna líder, y hay que recordar que los ejercicios deben ejecutarse con las dos piernas. En este caso, un step touch, sí cambia de pierna líder.

VISTA LATERAL

Mantenemos apoyados los pies y los brazos flexionados hacia atrás.

Desplazamos la pierna líder hacia la derecha y estiramos los brazos hacia el frente.

VISTA FRONTAL

2 LUNGE

En este caso de lunges sí se cambia de pierna líder. Recordemos el movimiento del lunge lateral de la página 17 que aquí además acompañamos con los brazos.

En las repeticiones se alternará la pierna líder.

MOVIMIENTOS BÁSICOS DE ALTO IMPACTO QUE SÍ CAMBIAN DE PIERNA LÍDER

Iniciamos el movimiento con una pierna, que en este caso sería la pierna líder, y el siguiente, con la otra. Al ser de alto impacto ambos pies no permanecen en contacto con el suelo, por poco tiempo.

1 RODILLAS ALTERNAS
1. Apoyamos la pierna líder, que será la que soporta el peso corporal.
2. Al mismo tiempo que elevamos la otra pierna flexionada, la pierna líder realiza un pequeño saltito o propulsión. Los brazos los utilizamos de manera natural sincronizándolos junto al movimiento de piernas, ejecutamos así un curl de bíceps.

2 FEMORALES O CURL DE PIERNA
1. Apoyamos la pierna líder abriéndola ligeramente a un lado.
2. Flexionamos la otra pierna llevando el talón hacia las nalgas a la vez que realizamos un pequeño saltito o propulsión con la pierna que soporta el peso apoyada en el suelo; es decir, con la pierna líder.

PATADAS

1. Apoyamos la pierna líder que soporta el peso corporal.

2. Lanzamos la otra pierna en forma de patada como si quisiera dar a un balón, a la vez que con la pierna líder realizamos un pequeño saltito. Acompañamos con el brazo contrario, realizando el mismo movimiento que con la pierna.

MOVIMIENTOS ESPECIALES BÁSICOS DE ALTO IMPACTO QUE SÍ CAMBIAN DE PIERNA LÍDER

Recordemos que estos son los movimientos que obtenemos de la suma de un movimiento básico más una o varias variaciones y que tienen nombre propio debido a su fácil práctica y al mínimo grado de intensidad que presenta el elemento de variación que sumamos al paso básico, por lo que no se les considera movimientos de nivel intermedio o avanzado.

 MAMBO CHACHACHÁ

Es la variación de cuatro marchas en las que las dos marchas son las que cambian. Concretamente las dos marchas presentan dos variaciones de poca intensidad, que son una primera de alto impacto y otra segunda de ritmo (acelera el tiempo de las carreras).

Acompañamos el mambo con un movimiento de brazos naturales que nos ayudan a ejecutar con más facilidad el movimiento.

Avanzamos la pierna líder adelante como si quisiéramos dar un paso y distribuimos nuestro peso corporal sobre la misma.

Marcha de la otra pierna.

1

2

3

4

5

CHACHACHÁ
Variación de impacto y ritmo en el que comenzamos con la pierna líder la primera de las tres pequeñas carreras o saltitos que terminarán el movimiento en sí. La pierna líder avanza hacia delante, vuelve a su sitio, hace tres pequeños pasos (chachachá), y movemos la otra pierna, repitiendo el mismo movimiento.

1
CHA

2
CHA

3
CHÁ

2 CHASSÉ
Variación de una rodilla alterna y dos marchas o
de cuatro marchas. Las dos primeras contienen
dos variaciones de poca intensidad: una de alto
impacto y otra segunda de ritmo (que acelera el
tiempo).

MARCHAMOS

1

2

1

2

3

La pierna líder se mueve hacia la
derecha, flexionando la rodilla.
La recogemos y repetimos el
movimiento con la otra pierna.

1   2   3

CHASSÉ CON BRAZOS
Podemos acompañar el movimiento
de las piernas con el de los brazos
para un resultado más estético.

CHACHACHÁ

Variación de dos marchas a las que se le añaden una variación de ritmo (que acelera el tiempo) y otra de alto impacto.

Apoyamos la pierna líder que inicia el primero de tres saltitos.

1
Primer saltito
CHA

2
Segundo saltito
CHA

3
Tercer saltito
CHÁ

MOVIMIENTOS BÁSICOS SIN IMPACTO CON PIES NEUTROS

Al ejecutar un movimiento de pies neutros podemos utilizar indistintamente la pierna líder que queramos. Recordemos que un movimiento sin impacto es aquel en el que ambos pies permanecen en contacto con el suelo todo el tiempo. No tendremos que confundirlos con los de bajo impacto.

1 SQUAT
1. Partimos con las piernas separadas y los pies ligeramente abducidos hacia fuera.
2. Flexionamos las rodillas no más de 90° bajando y subiendo, evitando siempre la hiperextensión de las rodillas.

2 MARCHAS SIN IMPACTO

Es una elevación alterna de talones en la que partimos con ambos pies apoyados en el suelo.

1. Con la pierna líder elevamos el talón sin despegar la punta del suelo.
2. Hacemos este movimiento sucesivamente con la otra pierna de forma alterna.

1

2

3 ELEVACIÓN SIN IMPACTO

Es la elevación de ambos talones a la vez. Con ambos pies apoyados en el suelo, elevamos los talones sin despegar la punta del suelo.

MOVIMIENTOS BÁSICOS DE ALTO IMPACTO CON PIES NEUTROS

En un movimiento de alto impacto ambos pies no permanecen en contacto con el suelo, aunque sea poco tiempo.

1

2

1 SALTO O JUMP

Se puede hacer con uno o con los dos pies. Elevamos ambos pies del suelo y los volvemos a poner en el suelo.

1. Desde la posición neutra abríamos las dos piernas con las rodillas flexionadas para coger impulso.
2. Seguidamente realizábamos la propulsión y las devolvíamos a su posición inicial.

JUMPING JACK: Este movimiento ya no se utiliza debido al gran impacto que tenían que soportar nuestras rodillas al realizarlo, por lo que a lo largo del tiempo, para hacer la práctica aeróbica más segura y eficaz, se ha eliminado.

MOVIMIENTOS INTERMEDIOS Y AVANZADOS CON LAS PIERNAS

Los obtenemos a partir de los movimientos básicos a los que les vamos añadiendo los llamados «elementos de variación» que incrementarán la intensidad coreográfica del movimiento progresivamente.

Cambios de ritmo

Doble tiempo, medio tiempo y al tiempo («off beat»).

1 CUATRO MARCHAS = DOS STOP
Ralentizamos el ritmo de las marchas transformándolas en dos pasos en vez de cuatro.

STOP PIERNA DERECHA

2 CUATRO MARCHAS = CHACHACHÁ*2
Como ya hemos visto, aceleramos el ritmo de las marchas transformándolas en tres saltitos o pasos en vez de dos.

STOP PIERNA IZQUIERDA

La secuencia sería la siguiente:
1. Primer saltito CHA
2. Segundo saltito CHA
3. Tercer saltito CHÁ

1   2   3

Modo o Impacto

Normalmente nuestras variaciones consisten en añadir al movimiento de bajo impacto uno de alto impacto incrementando así su intensidad.

2 UNO, UNO, DOBLE FEMORALES – DOS HOPS + DOBLE FEMORAL
Los dos femorales simples, que son elevaciones de bajo impacto, o los transformamos añadiéndoles impacto; es decir, dos hops, e incrementando así su intensidad.

Desplazamiento

Utilizamos parte del cuerpo para llegar a donde queremos con el movimiento que estemos realizando. Se trata de la forma en que movemos nuestro cuerpo hacia la dirección deseada.

1 FRONTAL O ANTERIOR
Utilizamos la parte anterior o frontal de nuestro cuerpo para dirigirnos hacia la dirección deseada con tres marchas hacia adelante + una rodilla en un desplazamiento anterior con dirección adelante.

2 DE ESPALDAS O POSTERIOR
Utilizamos la parte trasera o posterior de nuestro cuerpo para dirigirnos hacia la dirección deseada con tres marchas hacia atrás + una rodilla en un desplazamiento posterior con dirección atrás.

POSTERIOR

1

2

3

LATERAL

4

3 LATERAL
Utilizamos la parte lateral; o sea, los lados de nuestro cuerpo, para dirigirnos hacia la dirección deseada. Hacemos un paso cruzado lateral derecho en un desplazamiento lateral derecho.

1

2

3

4

También podemos dar un paso cruzado lateral izquierdo con un desplazamiento lateral izquierdo.

EN EL SITIO

Movemos el cuerpo, pero siempre volvemos a la posición inicial antes de cuatro tiempos. Se trata de un movimiento en uve.

3

4

1

2

Realizamos un desplazamiento en el sitio con una dirección que dependerá del lado de la sala al que dirijamos nuestro cuerpo. En ese caso miramos adelante.

Desde la posición neutra, movemos la pierna líder hacia delante, seguidamente la otra pierna y volvemos a la posición inicial. Es decir, hacemos dos step touch o lado-lado con desplazamiento.

1

4

2

3

PRIMER STEP TOUCH

SEGUNDO STEP TOUCH

ROTACIONAL

5 Giramos nuestro cuerpo en el sitio o con desplazamiento, bien sea lateral, adelante o atrás; es decir, hacia la dirección donde queramos llegar con el movimiento. Podemos girar a 90° (cuartos de giros) haciendo cuatro uves con un desplazamiento en el sitio y con la dirección adelante, al lado derecho, atrás y al lado izquierdo.

PRIMERA UVE
ADELANTE

SEGUNDA UVE
AL LADO DERECHO

PRIMERA UVE

TERCERA UVE
ATRÁS

CUARTA UVE
AL LADO IZQUIERDO

O podemos girar 180° (medios giros) haciendo dos uves con desplazamiento en el sitio y dirección adelante y atrás.

SEGUNDA UVE

Por último, podemos girar 360° (giro completo).

Una vez completada la rotación, comenzaremos de nuevo en el sentido contrario.

Dirección

Es el lugar donde nos dirigimos, el sitio al que queremos llegar con el movimiento o movimientos que estamos ejecutando. Podemos dirigirnos:

1　ADELANTE

Con tres marchas hacia adelante + una rodilla en un desplazamiento anterior con dirección adelante (véase página 34, en el apartado desplazamiento). O con una uve cuyo desplazamiento es en el sitio con dirección adelante (véase la página 36, ejercicio 4).

2　ATRÁS

Realizamos tres marchas hacia atrás + una rodilla con un desplazamiento posterior y una dirección atrás (véase página 35, ejercicio 2). O hacemos dos uves con 180° con un desplazamiento en el sitio y una dirección adelante y atrás (véase página 37, como primera y segunda uve).

3　LADO DERECHO

Realizamos un doble step touch o lado-lado hacia la derecha. Desplazamiento lateral derecho y en dirección al lado derecho. Del mismo modo hacemos un doble step touch o lado-lado hacia la izquierda con desplazamiento lateral izquierdo y dirección al lado izquierdo (véase la página 26).

1

2

3

4

PRIMER STEP TOUCH　　SEGUNDO STEP TOUCH

4 FRENTE DIAGONAL DERECHA (FDD)
Se trata de un paso cruzado o grape vine derecho hacia el frente diagonal derecho con desplazamiento lateral derecho y dirección al frente diagonal derecha.

5 FRENTE DIAGONAL IZQUIERDA (FDI)
En este caso, el paso cruzado o grape vine izquierdo tiene un desplazamiento lateral izquierdo con dirección hacia el frente diagonal izquierda. Seguidamente podemos realizar una diagonal posterior derecha (DPD) que consiste en un paso cruzado o grape vine derecho a DPD con desplazamiento lateral derecho y dirección diagonal posterior derecha terminando con una diagonal posterior izquierda (DPI).
Se trata de un paso cruzado o grape vine izquierdo a DPI con desplazamiento lateral izquierdo y dirección diagonal posterior izquierda.

Giros

También podemos añadir giros a nuestros movimientos básicos, incrementando así su intensidad, lo que es otro tipo de variación que transformará el movimiento.

Variaciones de forma

Consisten en cambiar la forma del movimiento básico, variando su dibujo o forma de manera distinta a las variaciones mencionadas anteriormente. El movimiento básico se realiza con las dos rodillas; este movimiento lo hemos explicado en la página 28.

1 PRIMERA VARIACIÓN DE FORMA

Cambiamos la pierna que realiza las elevaciones, no la líder, y en vez de elevarla hasta la altura de la otra rodilla de dicha pierna, la dejamos tocando el suelo como si de un doble lunge se tratase, solo que el peso corporal lo situaremos sobre la pierna líder. Como podemos observar la forma o dibujo del movimiento inicial con las dos rodillas va cambiando. Abrimos la pierna líder y hacemos un doble toque con la pierna izquierda a la altura del pie de la pierna líder.

2 SEGUNDA VARIACIÓN DE FORMA (SWING)

El doble toque hace que la rodilla caiga hacia dentro dos veces, esta es la figura elvis (que veremos más adelante). Abrimos la pierna líder y hacemos un doble elvis con la pierna izquierda.

1

2

3

Movimientos intermedios y avanzados con los brazos y las manos

Brazos

Tenemos siempre que ver claro que en la práctica aeróbica la importancia y prioridad la tiene nuestro tren inferior; es decir, las piernas. El tren superior (brazos) son un complemento más para simular el baile y los movimientos de brazos tienen como objetivo:

- Aumentar la frecuencia cardiaca: cuando elevamos los brazos por encima de la cabeza, el corazón trabaja más, ya que a la sangre le cuesta más llegar a las extremidades situadas por encima de su nivel y también que nuestros músculos dispongan de la sangre necesaria.
- Entrenamiento de la coordinación: deberemos tener mucho cuidado con las combinaciones de brazos, puesto que pueden resultar complicados e incluso llegar a interrumpir el aprendizaje de las piernas comprometiendo el entrenamiento cardio-vascular.
- Entrenamiento de la musculatura superior del cuerpo.

Vamos a ver los elementos de variación de brazos que podemos añadir a los movimientos básicos incrementando así su intensidad.

 ELVIS
El brazo acompaña al movimiento hacia delante y hacia atrás en un gesto típicamente rockero.

POSICIÓN DE PIES

Unilateral, bilateral

1 UNILATERAL
Podemos trabajarlo con un brazo o con los dos.

COLOCACIÓN DE BRAZOS

Al hacer un paso cruzado o grape vine derecha acompañamos con la extensión del brazo derecho en semicírculo o imitando el movimiento de un reloj.

Ante un paso cruzado derecha, podemos mover el brazo derecho en flexión y extensión lateral.

2 BILATERAL
Realizamos cuatro marchas hacia delante con flexión y extensión de los brazos para acompañar.

Palanca larga, palanca corta

Trabajamos con los brazos completamente extendidos o con extensión corta (es decir, encogidos).

1 PALANCA LARGA
Al ritmo del paso cruzado o grape vine izquierda hacemos una extensión del brazo izquierdo en semicírculo o en dirección de las agujas del reloj.

2 PALANCA CORTA

Al realizar cuatro marchas hacia atrás, acompañamos con flexión y extensión de brazos. Al ritmo del paso cruzado izquierda, acompañamos con flexión y extensión del brazo izquierdo.

Manos

1 MANO CERRADA (PUÑO)

Al igual que con los brazos, las combinaciones de manos pueden ser innumerables y enriquecen mucho los movimientos, pero debemos tener en cuenta que la importancia la tiene el tren inferior y que la utilización de las manos no debe interrumpir el movimiento de piernas.

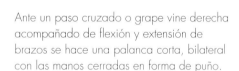

Ante un paso cruzado o grape vine derecha acompañado de flexión y extensión de brazos se hace una palanca corta, bilateral con las manos cerradas en forma de puño.

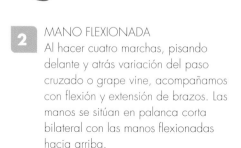

2 MANO FLEXIONADA

Al hacer cuatro marchas, pisando delante y atrás variación del paso cruzado o grape vine, acompañamos con flexión y extensión de brazos. Las manos se sitúan en palanca corta bilateral con las manos flexionadas hacia arriba.

3 MANO EXTENDIDA
Abrimos la palma con los dedos juntos
para acompañar otros movimientos.

4 MANO ABIERTA
Al hacer el paso cruzado o grape vine derecha con la
extensión del brazo derecho en semicírculo o reloj
usamos una palanca larga unilateral con la mano
abierta.

BATIR PALMAS

5 Podemos batir palmas imprimiendo cierta gracia al movimiento para acompañar algunos pasos.

MOVIMIENTOS ESPECIALES INTERMEDIOS Y AVANZADOS CON LOS BRAZOS Y LAS MANOS

Estos movimientos, que obtenemos de la suma de un movimiento básico más una o más variaciones que tienen nombre propio, se les considera movimientos de nivel intermedio o avanzado. Estos se diferencian de los anteriores en el grado de intensidad que presentaba el elemento de variación que sumábamos al paso básico que era mínimo.

BOX o caja

1 CUATRO MARCHAS (Movimiento básico.)
Véase página 17.

2 UVE
(Primera variación de forma en la que cambiamos la forma de las marchas abriéndolas y cerrándolas.)
1. Abrimos la pierna líder delante.
2. Abrimos la otra pierna delante, a la misma altura de la anterior.
3. Cerramos la pierna líder atrás.
4. Cerramos la otra pierna junto a la anterior quedándonos con ambas piernas juntas.

3 BOX
(Segunda variación de forma en la que cambiamos la forma de la uve imprimiendo una nueva intención a las marchas de la misma.)
1. Abrimos la pierna líder.
2. Cruzamos por delante la otra pierna. Retrasamos la pierna líder y volvemos u lu posición inicial juntando la otra pierna a la anterior.
Se puede variar este ejercicio ejecutándolo con los puños cerrados.

Stops

1 CUATRO MARCHAS
(Movimiento básico.)

2 DOS STOPS
(Primera variación de ritmo.)
Ralentizamos el ritmo de las marchas transformándolas en dos pasos en vez de cuatro.
1. Paramos dos tiempos apoyando la pierna líder.
2. Paramos otros dos tiempos apoyando la otra pierna.

Elvis

1 DOS RODILLAS
(Movimiento básico.)

2 DOS TOQUES LATERALES
(Primera variación de forma.) Cambiamos la pierna que realiza las elevaciones, no la líder, y en vez de elevarla hasta la altura de la otra rodilla de dicha pierna, la dejamos tocando el suelo como si de un doble lunge se tratase, solo que el peso corporal lo situaremos sobre la pierna líder.

3 DOS ELVIS
(Segunda variación de forma.) El doble toque pasa a que la rodilla caiga hacia dentro (elvis) dos veces.

Sky

El sky es un movimiento que solemos practicar junto a otros, bien sea intercalado o no, normalmente entre rodillas o mambos. Por eso, en las progresiones que señalaremos a continuación nos encontraremos con otros movimientos.

1 MAMBO CHACHACHÁ
Ocupa en concreto dos tiempos y cambia de pierna líder, por lo tanto surgirá de un movimiento básico que por sí solo también cambia de pierna líder. Iniciamos con un Mambo chachachá (movimiento básico).

2 MAMBO SKY
(Primera variación de forma donde el chachachá pasa a ser un sky.)

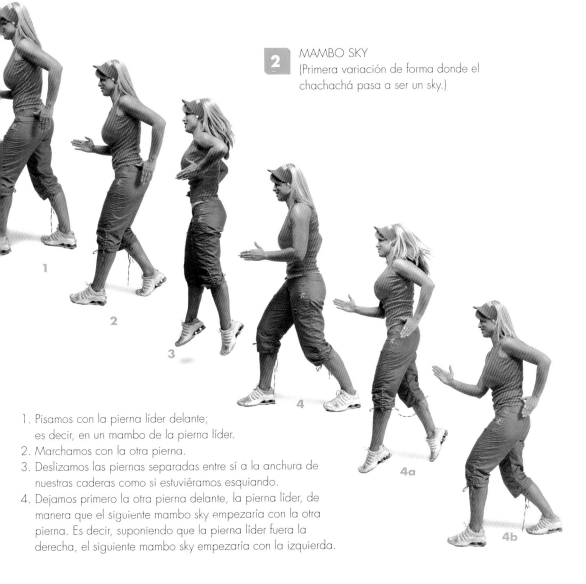

1. Pisamos con la pierna líder delante;
   es decir, en un mambo de la pierna líder.
2. Marchamos con la otra pierna.
3. Deslizamos las piernas separadas entre sí a la anchura de nuestras caderas como si estuviéramos esquiando.
4. Dejamos primero la otra pierna delante, la pierna líder, de manera que el siguiente mambo sky empezaría con la otra pierna. Es decir, suponiendo que la pierna líder fuera la derecha, el siguiente mambo sky empezaría con la izquierda.

Twist

1 UNA RODILLA ALTERNA
(Movimiento básico.)

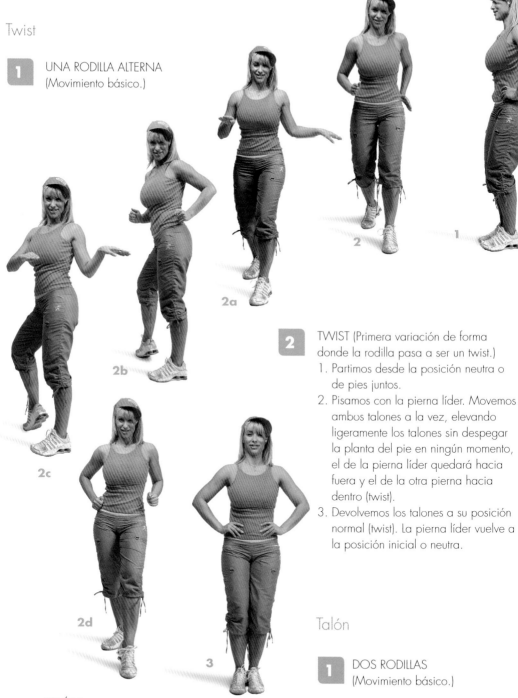

2 TWIST (Primera variación de forma
donde la rodilla pasa a ser un twist.)
1. Partimos desde la posición neutra o
de pies juntos.
2. Pisamos con la pierna líder. Movemos
ambos talones a la vez, elevando
ligeramente los talones sin despegar
la planta del pie en ningún momento,
el de la pierna líder quedará hacia
fuera y el de la otra pierna hacia
dentro (twist).
3. Devolvemos los talones a su posición
normal (twist). La pierna líder vuelve a
la posición inicial o neutra.

Talón

1 DOS RODILLAS
(Movimiento básico.)

2 TALÓN
(Primera variación de impacto y forma.) A la primera rodilla, a la pierna líder le añadimos
un pequeño saltito y la otra pierna la elevamos pasándola delante con el talón.

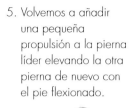

4. Tocamos con el talón de la otra pierna en el suelo, delante.

5. Volvemos a añadir una pequeña propulsión a la pierna líder elevando la otra pierna de nuevo con el pie flexionado.

1. Apoyamos la pierna líder.

2. Añadimos una pequeña propulsión o saltito a la pierna líder.

3. Elevamos la otra pierna preparándola con el pie flexionado.

Dindones

1 CUATRO MARCHAS
(Movimiento básico.)

2 CUATRO CARRERAS O JOGGING
(Primera variación de impacto.)

3 DINDONES
(Segunda variación de forma.)
Cambiamos la forma de la pierna del primer y tercer tiempo, ya que la estiramos.
1. Carrera de la pierna líder a la vez que estiramos la otra pierna al lado sin tocar el suelo (mantener en el aire), en el sitio.
2. Carrera con la otra pierna; es decir, la pierna que tenemos en el aire vuelve a su sitio (como un péndulo), mientras que la otra la encogemos en forma de carrera. Hacemos otra carrera, a la vez que estiramos la otra pierna (la no líder) y de nuevo carrera, encogiendo otra vez la líder.

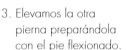

Supermán

1 SUPERMÁN
Dindones con cambio de desplazamiento y dirección (tercera variación de desplazamiento y dirección. Desplazamiento lateral derecho y dirección lado derecho).

1. Con la pierna líder apoyada en el suelo, estiramos la otra, y como un péndulo la situamos por delante de la pierna líder que se desplaza detrás de ella.

2. Repetimos el movimiento. Este ejercicio conlleva un desplazamiento lateral, provocado por el movimiento de los dindones, contrario al de la pierna líder.

MOVIMIENTO DE LOS BRAZOS
Bilaterales palanca corta con manos cerradas en puño. Bilaterales palanca larga con manos cerradas en puño como supermán.

Mambito (baby mambo)

1 TRES MARCHAS
(Movimiento básico.)

2 MAMBITO O BABY MAMBO
(Primera variación de forma.)
1. Pisamos con la pierna líder.
2. Pisamos con la otra pierna delante.
3. Volvemos la pierna líder a la posición inicial.

Los movimientos especiales que hemos descrito hasta ahora tienen un nombre propio que les identifica y que utilizaremos, pero existen movimientos especiales que bautizaremos nosotros mismos en la práctica de aeróbic, bien por su forma, bien por su intensidad una vez que hemos añadido a los movimientos básicos las respectivas variaciones. Estos nombres no están tan generalizados, no todos los conoceremos como los anteriores, pero sí los crearemos a partir de la suma de un movimiento básico, más una o varias variaciones. Es decir, no son movimientos especiales ya creados, sino que, del resultado que obtenemos de añadir variaciones a un movimiento básico, obtendremos un uso y creación más particular y no tan general. Hay infinidad de movimientos especiales de este tipo y cada individuo que practique actividad aeróbica tendrá los suyos propios.

Mariposa

1 CUATRO MARCHAS
(Movimiento básico.)

2 MARIPOSA SIN IMPACTO
(Primera variación de forma.) Damos forma a las cuatro marchas de manera que en el segundo tiempo, pisaremos delante y en el cuarto tiempo, detrás.

1. Pisamos o marchamos con la pierna líder.
2. Cruzamos la otra pierna delante.
3. Abrimos o marchamos de nuevo con la pierna líder volviéndola a poner en su posición inicial.
4. Cruzamos la otra pierna atrás. A su vez, en los cruces haremos un juego de cintura facilitando así el movimiento de las piernas y los brazos, que irán en bilateral palanca larga con las manos extendidas, lo que también nos ayudará a la realización del movimiento.

3 MARIPOSA
(Segunda variación de impacto. Incrementamos el impacto en el primer y tercer tiempo.)
Saltamos con la pierna líder, cruzamos la otra pierna delante, saltamos de nuevo con la pierna líder abriéndola, y cruzamos la otra pierna por detrás.

4 BRAZOS DE MARIPOSA
(Tercera variación del tren superior, palanca corta.)
Los brazos los flexionamos en palanca corta como si de unas alitas se tratasen y movemos las manos como si quisiéramos volar simulando a una mariposa.

Montaje coreográfico

Cuando practicamos aeróbic, buscamos con ello tener un experiencia positiva, mediante la cual no solo mejoremos nuestro aspecto físico, sino también nuestro bienestar psicológico descargando las presiones a las que diariamente nos encontramos sometidos y desinhibiéndonos de la rutina. Es por ello que un factor muy importante en la práctica aeróbica sea la diversión. Uno de los aspectos que tendremos que cuidar en la práctica aeróbica para encontrar esta diversión será un producto final o coreografía adecuado a nuestras condiciones físicas y coordinativas, que no nos genere a la hora de poder ejecutarlo ningún tipo de frustración y unas progresiones o técnicas de enseñanza que nos faciliten el aprenderlo de la manera más fluida posible facilitándonos el proceso de aprendizaje, amenizándolo y no creándonos ningún problema o sobreesfuerzo.

Para que podamos crear una rutina o coreografía adecuada a nuestras posibilidades, primeramente tendremos que tener muy claro el producto final al que queremos llegar; es decir, la rutina física o producto final. Una vez que tengamos claro esto, desarrollaremos las progresiones y técnicas de enseñanza adecuadas para llegar al aprendizaje de este producto final por nuestra cuenta y a su enseñanza a terceros en caso de que los haya.

Por lo general, el montaje coreográfico consiste en:

1. El desarrollo de la coreografía o producto final aplicando un 30% de nuestro tiempo en ello.
2. El otro 70% se emplea en desarrollar las técnicas de enseñanza y señalización pertinentes para el aprendizaje correcto de la rutina física.

Tanto en el producto final como en las progresiones que nos ayudan a llegar a él cuidaremos de que sea 100% equilibrado o simétrico y para ello tendremos que combinar correctamente los movimientos que cambian de pierna líder con los que no la cambian. Emplearemos un movimiento que cambia de pierna líder o tres, pero nunca dos, pues nuestro producto no sería 100% equilibrado.

Nuestro método de construcción en la práctica aeróbica será de 32 tiempos, lo que conocemos con el nombre de «bloque», así que lo que haremos es ir sumando o uniendo movimientos hasta llegar a los 32 tiempos obteniendo así uno de los bloques o el bloque que forma nuestra coreografía o producto final. Este puede contener varios bloques. Por lo general, en la práctica aeróbica nos da tiempo a construir tres. Dependiendo de nuestra destreza en la práctica aeróbica o de la destreza de posibles terceros, crearemos una rutina física más básica o más avanzada, aumentando en este último caso su intensidad. Para ello, partiremos de los movimientos básicos que hemos visto anteriormente, y los iremos aumentando de intensidad mediante los «elementos de variación» hasta que nuestra destreza en la práctica aeróbica lo permita, creando así nuestro producto final.

Ejemplo de montaje coreográfico para un nivel intermedio

- Emplearemos movimientos básicos y aumentaremos su intensidad añadiéndoles los elementos de variación correspondientes, de esta manera los transformaremos en intermedios.
- Seguimos con un solo movimiento básico que cambia de pierna líder.

Base
A = 1,1,2 femoral = 8 t
B = 2* uves = 8 t
C = 4*lado lado (step touches) = 8 t
D = 2*pasos cruzados (grape vine) = 8 t
t = tiempos * = veces

Producto final
1,1, mambo atrás
Uve + uve giro 180°
4* hops
2* paso cruzado giro 360°

ELEMENTOS DE VARIACIÓN:

A = variación de forma; B = variación de giro; C = variación de modo; D = variación de giro;

Escritura (producto final)

CUENTAS	PIERNA LÍDER	TREN INFERIOR	DESPLAZAMIENTO	DIRECCIÓN	TREN SUPERIOR
8	D	1,1, mambo atrás	En el sitio	Hacia delante	Remo bajo bilateral. Palanca corta
8	I	Uve+uve giro 180°	En el sitio Rotacional 2* 180°	Hacia delante contrario a las agujas del reloj	Ídem
8	I, D	4* Hops	En el sitio	Hacia delante	Ídem
8	I, D	2* pasos cruzados	Lateral I, D	Lado I, D	Ídem
IDEM* 32 T, I					

SEÑALIZACIÓN

La señalización es la herramienta de comunicación que utilizaremos en la práctica de aeróbic para conseguir que nuestro mensaje sea entendido. De esta manera, informaremos e indicaremos, previamente, lo que queremos realizar en ese momento. Se trata del código de mensajes o conjunto de señales que utilizaremos para poder indicar movimientos y su manera o técnica de ejecutarlos.

SEÑALIZACIÓN VERBAL Y NO VERBAL

Existen dos tipos de señalización:

1. VERBAL: ¿Qué?, ¿dónde?, ¿cuándo?, ¿cómo?
2. NO VERBAL.

Para comprender con claridad la señalización verbal tenemos que tener dos conceptos muy claros:

- EL EMISOR: emite o radia la información.
- EL RECEPTOR: el que recibe esa información del receptor.

Cada movimiento tiene un conjunto de señales que lo anuncian o avisan previamente; es decir, informan sobre él con la suficiente antelación como para poder ser ejecutado o para que dicha información pueda ser entendida por otros. Se puede hacer con el nombre que lo identifica, el número de repeticiones, la dirección a donde se dirige o la técnica que le corresponde para poder ser ejecutado correctamente.

Mientras la señalización verbal es aquella información que emitimos mediante el habla, la señalización no verbal será aquella información que transmitimos mediante el lenguaje de signos y símbolos; es decir, gestos o señales. Este conjunto lo podremos observar en las fotografías que vienen a continuación.

La única finalidad de este tipo de señalización, al igual que los mensajes verbales, es que facilitemos en la medida de lo posible toda la información al receptor. Esa señalización ayudará a que el movimiento pueda ser bien realizado técnica, ordenada y cronometradamente; en fin, que sea entendido y pueda estar al alcance de todos.

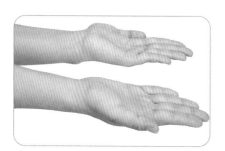

Las manos son las principales protagonistas de la señalización no verbal.

Para que nos hagamos una idea, el 30 % de la información que recibimos en nuestra vida ordinaria es no verbal, el otro 70% será verbal, por lo que no desestimaremos la gran importancia que tiene la señalización no verbal. El libro en este caso es el emisor encargado de hacer entender al lector o receptor la información deseada, tanto verbal si tuviera voz, como no verbal, mediante el lenguaje de signos y símbolos (gestos o señales no verbales) que contemplaremos en las fotografías. La señalización verbal será el nombre del movimiento (uve, step touch, grape vine, etc.), la dirección (adelante, atrás, etc.), el número de repeticiones, el estilo, etc., y la señalización no verbal será la foto que lo representa.

¿Qué?

4 UVE

3 STEP TOUCH O LADO - LADO

2 PASO CRUZADO O GRAPE VINE

1 MARCHA

Dedos en ocho es una señal que se utiliza para indicar que nos quedan ocho marchas por ejecutar. Por ejemplo, ante una señalización verbal: 8,7,6,5,4,3, STEP TOUCH O LADO-LADO.

5 FEMORAL

Desplazamiento
lateral

Pies juntos

En esta otra señalización no verbal mostramos otra manera de indicar movimiento femoral sobre el lado izquierdo.

6 CHASSÉ

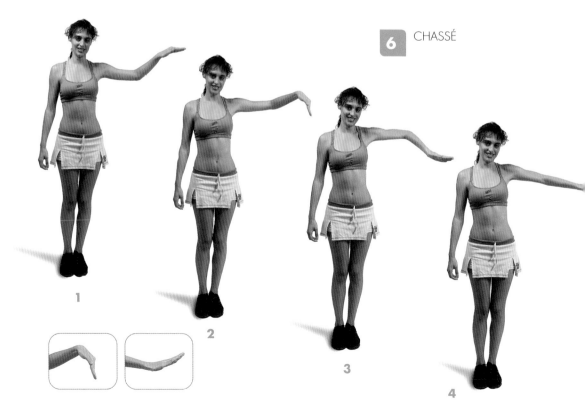

1

2

3

4

¿Dónde?

1 ADELANTE

2 ATRÁS

3 LADO DERECHO

4 LADO IZQUIERDO

¿Cuándo?

 CUÁNDO COMENZAMOS EL
MOVIMIENTO O CUENTA ATRÁS

1. Dedos en cuatro
2. Dedos en tres
3. Dedos en dos

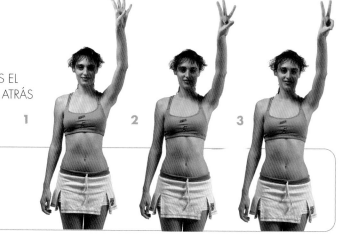

Mano sobre la
cabeza o señal de
principio.

Mano en semicírculo sobre
la cabeza señalizando
que vamos al principio o
primer movimiento.

2 CUÁNTAS REPETICIONES NOS
QUEDAN POR EJECUTAR

Dedos en ocho (por ejemplo, para
indicar que nos quedan ocho
marchas por ejecutar). Por
ejemplo, ante una señalización
verbal: 8,7,6,5,4,3, STEP
TOUCH O LADO-LADO.

3 CUÁNDO CAMBIAMOS
DE UN MOVIMIENTO A OTRO

Desde las señalizaciones anteriores de dedos en ocho, dedos en siete,
dedos en seis, dedos en cinco, dedos en cuatro, etc., señalizamos el final
de los step touch con ambos brazos, ambos separados del cuerpo y con
las manos apuntando hacia abajo.

Por ejemplo, para una señalización verbal de:
4,3,2, PASO CRUZADO, la señalización no verbal completa sería:

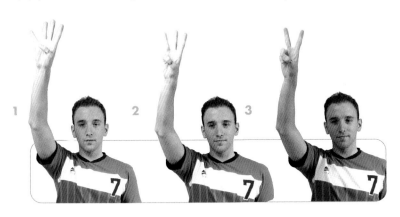

1. Dedos en cuatro
2. Dedos en tres
3. Dedos en dos

PASO CRUZADO

¿Cómo?

 ¡MÁS FUERTE!

2 DESPACIO

La música

La música con la que acompañamos la práctica aeróbica también contiene señas y las podemos utilizar con efectividad; es decir, una canción está formada por diferentes partes (estrofa, estribillo, instrumental, introducción, etc.) y cada parte la podemos utilizar de una manera diferente. Por ejemplo, en cada estribillo ejecutamos el mismo producto final o bloque y en una estrofa instrumental u otras partes ejecutamos otros bloques o las ocupamos construyendo estos bloques.

1 PRINCIPIO
La mano sobre la cabeza es la señal de principio.

2 GIRO

3 HACIA ADELANTE Y HACIA ATRÁS

4 LADO DERECHO E IZQUIERDO

Delante   Detrás   Derecha   Izquierda

5 DOBLE
Dedos en dos para indicar doble.

6 UNIÓN Y CORTE
1. 2. Con estas señales indicamos que unimos la combinación.
3. Con esta señal lo que estamos indicando es que cortamos la combinación de movimientos.

7 ALTO Y BAJO
1. Subimos el ritmo del ejercicio.
2. Bajamos el ritmo del ejercicio.

Otros Requisitos de efectividad

Por último, vamos a revisar otros aspectos que debemos cuidar para que nuestra señalización sea efectiva.

1. Combinación adecuada de la señalización verbal y la no verbal; es decir, que la señalización verbal sea consecuencia de la no verbal y viceversa o que ambas se correspondan, si estamos emitiendo una señal verbal (sea la que sea), la imagen visual de nuestros brazos la corresponderá.

   Por ejemplo, si estamos en una cuenta atrás, nuestros brazos verificarán esa cuenta atrás y si estamos emitiendo el nombre de un movimiento (sea el que sea), nuestros brazos señalizarán este movimiento y no otro.

2. Las señales deben ser consistentes y fáciles de entender, de modo que este código de señales será el que utilicemos siempre en nuestra práctica aeróbica. Es decir, cuando emitamos una señal, sea verbal o no verbal, será muy clara y precisa, y no creará confusión ninguna.

3. Debemos respetar el orden de prioridad establecido de las cuatro señales fundamentales: qué, dónde, cuándo y cómo, al mismo tiempo que utilizaremos una u otra dependiendo de la fase aeróbica en la que nos encontremos. Es decir, mientras en la fase cardiovascular o segunda fase de la práctica aeróbica daremos importancia al qué y al dónde, en la última fase o *cooldown* daremos más importancia al qué y al cómo, insistiendo más en la correcta ejecución de los estiramientos y evitando así posibles lesiones.

4. Habrá un equilibrio en nuestro proceso de enseñanza: según sea la fase de la práctica aeróbica en la que nos encontremos, utilizaremos un tipo de señalización u otro.

5. Debemos ser directos y concisos en nuestra señalización: nuestra señalización deberá ser clara y concisa de manera que provoque una reacción inmediata del receptor, de todo aquel que lo vea. Nos cuidaremos tanto de tener una vocalización clara, como de tener un manejo de los brazos y manos grande, amplio y directo que no cree confusión alguna.

6. Estaremos bien cronometrados: la señalización que empleamos la haremos con la suficiente antelación para que el receptor o receptores reaccionen a su debido tiempo; es decir, los dos últimos bits de la frase musical los emplearemos para transmitir la información deseada, de manera que el número uno nunca lo mencionaremos en la práctica aeróbica.

Ejemplo: 4,3,2, GRAPE VINE. Si dijéramos 4,3,2,1, GRAPE VINE, la información o señalización verbal no estará bien crono-metrada, puesto que ya habremos iniciado el movimiento del grape vine. Si por el contrario decimos: 4,3,2, GRAPE VINE la información o señalización verbal sí estará bien cronometrada, puesto que la hemos avisado con la suficiente antelación para que los demás reaccionen.

7.   Las señales serán visibles y sin interferencias que puedan perjudicar nues-tra señalización.

8.   Haremos buenas y efectivas progresiones:

   • Realizaremos cambios simples y lógicos incrementando así la intensi-dad de los movimientos básicos.
   • Utilizaremos elementos individuales de cambio de un movimiento a otro y nunca añadiremos cambios de brazos y piernas a la vez, sino de ma-nera progresiva.

9.   Usaremos una buena proyección verbal, evitando la palabrería y utilizaremos un tono de voz po-tente; que no consistirá en que gritemos, sino en que hablemos en voz alta para que se nos en-tienda claramente.

10. Nuestro producto final responde a nuestras posibilidades. No ejecutaremos una coreografía ex-cesivamente complicada para nosotros, sino que será siempre equilibrada.

RELACIÓN DEL AERÓBIC
CON LAS MATEMÁTICAS

Valor de los movimientos

En la práctica aeróbica cada movimiento tiene un valor; es decir, cada movimiento ocupa un número de cuentas o tiempos determinado: 1,2,3.

Siguiendo la estructura/valor anteriormente establecida, vamos a ver paso a paso qué valor corresponde a cada movimiento:

Movimientos básicos de bajo impacto que no cambian de pierna líder

Movimientos		Tiempos
MARCHA O CAMINAR	=	1 tiempo
STEP TOUCH O LADO-LADO	=	2 tiempos
LUNGE O TOUCH STEP	=	2 tiempos

Movimientos especiales básicos de bajo impacto que no cambian de pierna líder

Movimientos		Tiempos
PASO CRUZADO O GRAPE VINE	=	4 tiempos
UVE	=	4 tiempos
MAMBO	=	4 tiempos

Movimientos básicos de alto impacto que no cambian de pierna líder

Movimientos		Tiempos
CARRERA	=	1 tiempo
HOP	=	2 tiempos

Movimientos básicos de bajo impacto que sí cambian de pierna líder

Movimientos		Tiempos
RODILLAS	=	2 tiempos
FEMORALES O CURL DE PIERNA	.=	2 tiempos
PATADAS	=	2 tiempos

Movimientos básicos de alto impacto que sí cambian de pierna líder

Movimientos		Tiempos
RODILLAS	=	2 tiempos
FEMORALES O CURL DE PIERNA	=	2 tiempos
PATADAS	=	2 tiempos

Movimientos especiales básicos de alto impacto que sí cambian de pierna líder

Movimientos		Tiempos
MAMBO CHACHACHÁ	=	4 tiempos
CHASSÉ	=	4 tiempos
CHACHACHÁ	=	2 tiempos

Movimientos básicos sin impacto con pies neutros

Movimientos		Tiempos
SQUAT	=	2 tiempos
MARCHAS SIN IMPACTO	=	1 tiempo
ELEVACIÓN SIN IMPACTO	=	1 tiempo

Movimientos básicos de alto impacto con pies neutros

Movimientos		Tiempos
SALTO O JUMP	=	2 tiempos

Movimientos especiales intermedios y avanzados con los brazos y las manos

Movimientos		Tiempos
BOX O CAJA	=	4 tiempos
STOPS	=	2 tiempos
ELVIS	=	4 tiempos
SKY	=	2 tiempos
TWIST	=	4 tiempos
TALÓN	=	4 tiempos
DINDONES = 1 dindon	=	2 tiempos
SUPERMÁN = 1 supermán	=	2 tiempos
MAMBITO	=	3 tiempos
ARAÑA	=	1 tiempo
MARIPOSA	=	4 tiempos

La música

Estructura

La música es un idioma, un lenguaje, una manera de expresión artística, aunque en la práctica aeróbica, para nosotros, la música es una herramienta fundamental, ya que la realizamos con música; es decir, ejecutamos los movimientos al tiempo o ritmo musical. Gracias a la música, la práctica aeróbica nos resulta más motivante y divertida.

La música está formada por una serie de «bits» o cuentas. Se puede decir que cada bit equivale a un tiempo musical (1). Pero los bits se agrupan a su vez unos con otros de ocho en ocho formando las «frases musicales». Los bits se agrupan entre sí en patrones rítmicos regulares al igual que las palabras se agrupan en frases para poder adquirir un significado. A su vez, las frases musicales se agrupan de cuatro en cuatro bloques al igual que las frases lingüísticas se agrupan en párrafos. El bloque es nuestro método de construcción en la práctica aeróbica. Si una frase musical contiene ocho bits y un bloque tiene cuatro frases musicales, esto quiere decir que un bloque está formado por 32 bits. Nuestra unidad de construcción será de 32 tiempos en 32 tiempos; es decir, montaremos los movimientos encajándolos de 32 en 32 tiempos. Este sería el ejemplo de un bloque:

A = 4* balanceos = 8 tiempos
B = 4*step touch = 8 tiempos
C = 2* paso cruzado = 8 tiempos
D = 1,1,2 femoral = 8 tiempos

Si establecemos un paralelismo entre el lenguaje y la música:

MÚSICA	**LENGUAJE**
Unidad básica: BIT	Unidad básica: PALABRA
Los bits se agrupan en FRASES MUSICALES	Las palabras se agrupan en FRASES LINGÜÍSTICAS
Las frases se agrupan en BLOQUES	Las frases se agrupan en PÁRRAFOS

1 FRASE MUSICAL = 8 BITS O TIEMPOS
1 BLOQUE = 4 FRASES = 8 BITS* 4 FRASES = 32 TIEMPOS

En resumen,

- BIT = un tiempo músical.

- FRASE MUSICAL: un bit fuerte indicará el comienzo de una frase musical. Este bit nos hará saber el comienzo de cada frase:
1 2 3 4 5 6 7 8 bits

- BLOQUE: un cambio musical nos hará saber el comienzo de un bloque y final de otro:
1 2 3 4 5 6 7 8
1 2 3 4 5 6 7 8
1 2 3 4 5 6 7 8
1 2 3 4 5 6 7 8 nos prepara o anuncia el final de este bloque y comienzo de otro.

Lo que haremos en la práctica aeróbica será ir siguiendo el tiempo musical para ejecutar los movimientos. Si la música cumple perfectamente la medida del bloque a bloque, es decir, de 32 tiempos en 32 tiempos, estará cuadrada y la podremos utilizar en la práctica aeróbica, de lo contrario nos será imposible, puesto que no podremos completar correctamente las frases musicales con los movimientos.

Imaginemos que nos encontramos con un bloque que no llega a 32 tiempos y tenemos solo 30 tiempos. Pues siguiendo el ejemplo anterior, el último movimiento D que es 1,1,2 femoral no lo podremos completar del todo.

Puentes musicales

Cuando la música presenta irregularidades de este tipo, no está cuadrada, el bloque musical no completa los 32 tiempos produciéndose lo que conocemos con el nombre de «puente musical». Los puentes musicales más comunes son los de 2 bits, 4 bits, 8 bits o 16 bits.

Los puentes musicales los podemos utilizar en nuestro propio beneficio, en caso de que nuestra música contenga alguno, de la siguiente manera:

Aprovecharemos cuando cese la música para descansar e hidratarnos.

- Patrón de tenencia: nos mantenemos en un movimiento básico y utilizamos una cuenta atrás verbal, o lo que es lo mismo, señalizamos el «cuándo».
  En estos casos aprovechamos los tiempos que dure el puente musical para realizar un movimiento básico, bien sea step touch o marchas... y así descansamos y recuperamos. Nos damos tiempos, bien sea para pensar en lo que viene a continuación, bien para coger aire o recuperarnos.
- Continuamos el último movimiento: aprovechamos los tiempos del puente musical para seguir ejecutando más repeticiones del último movimiento, sea el que sea en ese momento.
- Reducimos repeticiones: aprovechamos la duración del puente musical esta vez para ejecutar menos repeticiones de un movimiento.
- Introducimos un movimiento nuevo: en el puente añadimos un elemento de variación a un movimiento básico.
- Punto central: utilizamos el puente como punto de inspiración. Realizamos algún movimiento especial que no hemos utilizado en el resto de la práctica aeróbica.

Tomemos como ejemplo una clase de aero latino. En cada puente musical practicamos unas batidas de caderas o movimiento reggaeton que durante el resto de la práctica no ejecutamos.

Estos puntos los podremos poner en práctica en caso de que nuestra música contenga algún puente musical, pero está claro que es aconsejable que la música para la práctica aeróbica sea cuadrada o regular y en el caso de que contenga alguna irregularidad o puente musical, lo podremos aprovechar en nuestro beneficio.

Conclusión

En la práctica aeróbica el papel de la música es fundamental, ya que para nosotros el practicar aeróbic con música nos motiva y anima, a la vez de que nos pro-

porciona unas pautas de seguimiento musicales tanto en medida (32 tiempos) como en forma (frases musicales).

En la práctica aeróbica no contamos, sino que descontamos, veámoslo en este ejemplo:

- Ante la secuencia 4,3,2 grape vine la música no se descuenta, sino que se cuenta de la siguiente manera:
  1 2 3 4 5 6 7 8
  2 2 3 4 5 6 7 8
  3 2 3 4 5 6 7 8
  4 2 3 4 5 6 7 8

En las frases 2, 3 y 4 el número 1 o primer bit desaparece y lo cambiamos situándonos de esta manera en la frase del bloque en la que nos encontramos en ese momento.

Velocidad musical

Ya hemos dicho que la práctica aeróbica tiene diferentes fases o partes (calentamiento, sección cardio-vascular y *cooldown*).

En cada fase de la práctica aeróbica seguiremos una velocidad musical determinada que motive el entrenamiento cardiovascular. Naturalmente, al ser el calentamiento la primera fase de todas, lo practicaremos con una música más lenta que en las siguientes fases de la práctica aeróbica. Por diferentes motivos y razones de peso que siguen una lógica, aún no estamos preparados ni psíquica ni físicamente para lo que viene a continuación y es en el calentamiento donde obtendremos tal preparación, por lo que empezaremos la práctica a una velocidad segura que propicie esta preparación.

La velocidad musical recomendada para que un calentamiento sea eficaz y seguro es de 130-138 BPM (bits por minuto).

La música acompaña la práctica aeróbica y proporciona pautas de seguimiento.

Tengamos en cuenta que si practicamos a una velocidad musical demasiado lenta, la práctica aeróbica puede resultarnos aburrida; por el contrario, si practicamos a una velocidad demasiado rápida, tendremos mayor dificultad a la hora de propiciar que la actividad sea segura (por mal apoyo del pie en el suelo o la plataforma).

Por ello, tras años de experiencia y estudio, se ha llegado a unas extensiones de velocidad musical recomendada:

Por lo general, podremos aumentar la velocidad musical cuando utilicemos un CD por debajo de la extensión recomendada o cuando ya sepamos el producto final para motivarnos, pero nunca por encima de la extensión recomendada.

FASES	BPM
CALENTAMIENTO	130-138
HI-LO	145-158
STEP	128-132

Por el contrario, podremos disminuir la velocidad musical cuando utilicemos un CD por encima de la extensión recomendada o cuando estemos aprendiendo algún patrón de movimiento y necesitemos ir por debajo de la extensión recomendada.

Mapa musical

El mapa musical son las diferentes partes que tiene una canción. Estas son:

- INTRODUCCIÓN: entrada de la canción. Puede comenzar con el sonido de un bit fuerte, o empezar con una melodía.
- INSTRUMENTAL: conjunto de instrumentos que suenan juntos o por separado. Normalmente aparece detrás del estribillo.
- ESTROFA: historia de la canción. Normalmente es cantada, pero también puede ser hablada.
- ESTRIBILLO: centro de la canción que se repite varias veces a lo largo de esta. Es lo que retenemos primero en la memoria tras escuchar cualquier canción.
- PUENTE O PRE-ESTRIBILLO: anuncia el estribillo y al igual que este, también se repite varias veces a lo largo de la canción.

Cada parte de una canción la podremos utilizar en beneficio propio, por ejemplo:

- Cada vez que se repita el estribillo de la canción ejecutaremos la misma variación, mientras que en el resto de las partes de la canción (por ejemplo, en la estrofa) enseñaremos las progresiones de la misma variación u otras.
- El mapa musical lo podemos utilizar mucho, sobre todo cuando ya hemos montado todos los bloques que forman nuestra coreografía y utilizamos una canción concreta para repasarlos de una manera especial, utilizando el estribillo para uno de ellos en concreto.

EL AERÓBIC
EN LA PRÁCTICA

> PRÁCTICA AERÓBICA =
> CALENTAMIENTO + SECCIÓN CARDIOVASCULAR + COOLDOWN

CALENTAMIENTO

Todas las fases o partes que forman la práctica aeróbica son importantes, pero el calentamiento, por ser la primera de todas ellas, adquiere cierta relevancia y requiere mucha atención por nuestra parte. Nos tenemos que asegurar de comenzar bien, así el resto de las fases que ocupan la práctica aeróbica nos resultarán mucho más fáciles, ya que como consecuencia del buen comienzo que hemos tenido surgirá una buena predisposición al ejercicio aeróbico.

¿Qué es?

El calentamiento es la primera fase del ejercicio aeróbico y su función consiste en prepararnos tanto física como psicológicamente para lo que viene a continuación; es decir, para el resto de las fases de la práctica aeróbica, soportando así las tensiones de la sobrecarga en la sección cardiovascular. Si no calentamos de una forma correcta, físicamente nos podremos lesionar y psicológicamente no asimilaremos la información que se nos está intentando transmitir.

El calentamiento es una parte de la práctica aeróbica y es una de las más importantes, ya que evita lesiones.

Someter nuestro cuerpo a un intenso ejercicio físico no es recomendable. Tanto los profesionales del deporte, como los nuevos aficionados, deben ser conocedores del riesgo que supone aventurarse en una práctica deportiva intensa que fuerce músculos, ligamentos; en definitiva, nuestro cuerpo: el mejor soporte para mantener sano el organismo.

Esguinces, lesiones, contracturas... son el resultado de un calentamiento precipitado y escaso. Para solventar el problema, debemos moldear nuestro organismo como si de un bloque de plastilina o de arcilla se tratase, con mimo, ejerciendo calor sobre ella progresivamente, para evitar su rotura, que sería el correspondiente esguince en nuestra estructura muscular.

Además hay que tener claro que la práctica aeróbica, como ya hemos dicho en su definición en el primer capítulo, supone un entrenamiento cardiovascular, entre otras muchas cosas, y con el calentamiento lo que estamos haciendo es iniciar ese aumento de pulsaciones necesario y progresivo para que el entrenamiento cardiovascular sea correcto y efectivo. Las pulsaciones irán aumentando según avance la práctica. Por estos dos aspectos descritos (prevención de lesiones y buen entreno cardiovascular) será tan importante en la práctica aeróbica un buen calentamiento en lo que a preparación física se refiere.

En cuanto a la preparación psicológica, consistirá en captar nuestra atención y preparar nuestra mente para el ejercicio que viene a continuación. Cuando nos disponemos a realizar cualquier práctica deportiva, sea actividad aeróbica o no, nuestra mente está dispersa, está ocupada en otros asuntos (trabajo, familia...). El calentamiento nos prepara también psicológicamente para lo que viene a continuación y nos ayuda a centrarnos en la práctica de manera progresiva, dejando a un lado los otros temas que nos ocupan.

Por un lado despertaremos nuestra mente con movimientos sencillos que luego en la sección cardiovascular iremos incrementando de intensidad, ya que en un principio nuestra mente no está lo suficientemente despierta para la asimilación de un producto final muy complicado.

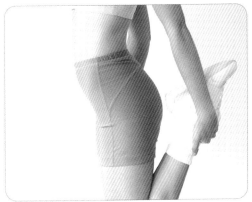

Hay que prestar más atención a aquellas zonas con las que vamos a trabajar más intensamente.

A su vez, iremos depositando nuestra atención en la actividad aeróbica dejando otros temas que nos ocupan en nuestra vida diaria.

Estos son los motivos por los que el calentamiento es tan importante, se puede decir que es el pilar o base que va a soportar el resto de la sesión, ya que si no preparamos bien al cuerpo desde un principio no llegaremos a un buen fin por diferentes razones: porque nos podamos lesionar, porque no entendamos lo que nos están queriendo transmitir, porque nos ocupan la mente otros temas y nos evadimos, o porque no nos hayan ido convenciendo poco a poco e introduciendo en la actividad enseñándonos de manera progresiva; es decir, de menos a más.

Importancia histórica y calentamiento actual

En el primer capítulo ya hemos podido ver la historia de la práctica aeróbica. Respecto a lo que concierne al tema del calentamiento, básicamente podemos decir que cuando el aeróbic se puso de moda, no se le prestó atención.

Otro de los errores que se cometieron en el pasado y que ya hemos comentado fue la asimetría o falta de equilibrio. Esto ha llevado al perfeccionamiento de las técnicas necesarias para conseguir un entrenamiento equilibrado o simétrico de la práctica aeróbica.

Partes del calentamiento

Por todos los errores cometidos en el pasado, el calentamiento moderno se caracteriza por tener dos partes:

- Parte dinámica o rítmica.
- Movilidad (no flexibilidad).

Parte rítmica o dinámica

Esta es la parte en la que elevaremos nuestra temperatura corporal y las pulsaciones, haciendo que nuestros músculos y tendones se adapten mejor al ejercicio y evitando así posibles lesiones. Para ello utilizaremos:

- Movimientos de bajo impacto: es decir, aquellos movimientos en los que al menos un pie siempre permanece en contacto con el suelo.
Por ejemplo: marchas, paso cruzado, uve, lado-lado o step touch, etc.

- Coreografía sencilla: fácil de seguir, sin giros ni cambios de dirección complicados que aumenten la intensidad o dificultad del movimiento prematuramente o en exceso desde el principio, así no nos frustraremos antes de tiempo y querremos seguir. Si la coreografía no es fácil de seguir, nos vendremos abajo pensando que si el principio nos resulta complicado, qué nos deparará el final… Por ello es importante que nos resulte relativamente fácil la coreografía: para sentirnos capaces y animados de poder seguir la práctica y no frustrarnos.

Movilidad (no flexibilidad)

Existe una gran diferencia entre flexibilidad y movilidad. Mientras la flexibilidad consiste en la ejecución de estiramientos estáticos muy intensos, la movilidad consistirá en la ejecución de los llamados «estiramientos dinámicos».

Como ya hemos dicho anteriormente, en el calentamiento no podremos practicar la flexibilidad, es decir, los estiramientos estáticos de gran intensidad, ya que ni nuestros músculos, ni nuestras articulaciones, están preparados para experimentar un cambio de tamaño al realizar un estiramiento. Por ello, el momento ideal para la práctica de la flexibilidad será la fase final de la práctica aeróbica, es decir, el *cooldown*, cuando nuestra temperatura corporal sí esté lo suficientemente elevada y en consecuencia la de nuestros músculos y tejidos, para poder experimentar un cambio de tamaño en la práctica de tales estiramientos sin provocarse ninguna lesión. Es en el calentamiento donde practicaremos la movilidad, que consiste en la ejecución de los estiramientos dinámicos.

Muchos de nosotros, por nuestro trabajo o necesidades diarias, nos pasamos largos períodos de tiempo en la misma postura, ya sea de pie o sentados frente a un ordenador, y, en consecuencia, atrofiamos nuestro campo de movimiento, por lo que tendremos que restablecerlo. Mediante la parte rítmica, parte de este campo de movimiento se restablecerá. Sin embargo, existen algunas zonas de nuestro cuerpo que precisarán una atención especial. Dichas zonas son las que soportarán el peso corporal en la sección cardiovascular, por lo que necesitarán una atención especial. Estas partes son:

El objetivo del aeróbic es restablecer nuestro campo de movimiento.

1. Bíceps femorales.
2. Gemelos.
3. Flexores de cadera o psoas.

1 MOVILIDAD DE BÍCEPS FEMORALES

Se trata de un estiramiento dinámico en el que apoyamos el talón de la pierna que queramos estirar delante con la punta del pie apuntando al techo y seguidamente flexionamos la rodilla de la otra pierna apoyando nuestra mano sobre esta. El objetivo es que se estire el músculo situado en la cara posterior del muslo (bíceps femoral).

Flexión de rodilla y estiramiento.

Talón apoyado y puntera al techo.

2 MOVILIDAD DEL GEMELO

Tras realizar el estiramiento del bíceps femoral, elevamos el tronco y nos colocamos en posición de carrera. Elevamos el talón de la pierna de atrás, como si fuéramos a correr, y calentamos localizadamente el gemelo de dicha pierna. Tras calentarlo, dejamos el talón apoyado en el suelo y lo estiramos.

Con el talón apoyado en el suelo, hay que echarse hacia delante, consiguiendo el estiramiento del gemelo.

Calentamiento del gemelo en posición de carrera levantando el talón de la pierna de atrás.

3 MOVILIDAD DEL FLEXOR DE LA CADERA

Después de realizar el estiramiento dinámico de gemelo, aguantamos la posición y realizamos una contracción y relajación de la pelvis calentando el flexor de la cadera; es decir, basculamos y relajamos la pelvis. Tras calentar localizadamente estiraremos el flexor aguantando la contracción de la pelvis.

Debemos mover la pelvis hacia abajo, con el cuerpo siempre erguido, y hacer fuerza en la pelvis, mientras flexionamos la pierna retrasada.

Estiramiento dinámico del flexor de la cadera.

Ya llevamos tres grupos musculares estirados: femoral, gemelo y flexor de cadera, nos falta solo el lumbar para que la parte de la movilidad de nuestro calentamiento sea completa.

4 MOVILIDAD LUMBAR

Aguantando la posición anterior (una pierna retrasada), avanzamos la pierna de detrás. La colocamos paralela a la otra, con las rodillas flexionadas y las manos apoyadas en ellas, para bombear y relajar la espalda en varias ocasiones, flexionando y calentando así nuestra zona lumbar.

Estiramiento dinámico encorvando la espalda al techo.

Calentamiento con los pies paralelos, las rodillas flexionadas y las manos apoyadas, encorvando y relajando la espalda.

Luego repetiremos todo hacia el otro lado, sin olvidar que al igual que la parte rítmica es 100% equilibrada (es decir, hacemos lo mismo con la pierna derecha que con la izquierda), la parte de la movilidad también será rítmica, por lo que todos los calentamientos y estiramientos dinámicos los ejecutaremos en ambas piernas.

Mediante los mencionados «estiramientos dinámicos», que se caracterizarán por su poca intensidad frente a los que practicaremos en la flexibilidad de la fase final de la práctica aeróbica (estiramientos de gran intensidad y de 15 segundos como mínimo) podremos tratar estas zonas de manera especial.

Metodologías y movimientos

Ya hemos comentado que toda la práctica aeróbica ha experimentado un cambio en su historia, mejorando así su seguridad y efectividad. Dicha evolución también la podemos observar en sus técnicas de enseñanza, que con el tiempo han conseguido evolucionar y conseguir la fórmula necesaria para lograr un entrenamiento 100% equilibrado. Vamos a tratar los distintos métodos con sus movimientos ejemplificados.

ABREVIATURA	SIGNIFICADO
A, B, C, D, E, F, G, H, I, J, K, L, M, N	Tipos de Movimiento
t	Tiempos musicales
*	Nº. de repeticiones
PLD	Pierna líder derecha
PLI	Pierna líder izquierda

Suma

Este método o técnica de enseñanza consiste en ir enseñando cada vez un movimiento. En nuestro caso, iremos aprendiendo los movimientos uno a uno hasta conseguir aprender el producto final. Por esta razón se llama suma, ya que vamos sumando o añadiendo movimientos hasta conseguir el todo, la coregrafía o producto final.

Nuestro método de construcción, nuestros productos estarán formados por bloques, bien sea uno, dos... dependiendo de la duración de la sección o fase de la práctica aeróbica en la que nos encontremos. Recordemos que un bloque son 32 tiempos.

El método suma consistirá en ir enseñando o añadiendo movimientos hasta obtener un total de 32 tiempos. Es decir:

1.º   MOVIMIENTO A: nos enseñan un primer movimiento y lo aprendemos, repitiéndolo tantas veces como nos sea necesario para su memorización.
2.º   MOVIMIENTO B: lo aprendemos y lo repetimos tantas veces como nos sea necesario para su memorización.
3.º   MOVIMIENTO A + B: sumamos los dos movimientos y los repetimos tantas veces como sea necesario, para su aprendizaje o memorización.
4.º   MOVIMIENTO C: lo aprendemos y lo repetimos tantas veces como sea necesario para su memorización.
5.º   MOVIMIENTO A + B + C: sumamos C a los dos anteriores y repetimos la suma de los tres movimientos tantas veces como sea necesario para su memorización.

6.º MOVIMIENTO D: lo aprendemos y lo repetimos tantas veces sea necesario para su memorización.

7.º MOVIMIENTO A + B + C + D: sumamos D a los tres anteriores y repetimos la suma de los cuatro movimientos tantas veces sea necesario para su memorización.

MOVIMIENTO A + B + C + D = 32 TIEMPOS O BLOQUE

LA PIRÁMIDE INVERTIDA

Dentro del método básico de la suma, encontramos otros tipos, como este de la pirámide invertida o el método de inspecciones que veremos después, que se pueden usar junto a otras técnicas de enseñanza para conseguir el propósito del 100% equilibrio.

El método de la pirámide invertida o series de bajada se basa en reducir repeticiones, ejecutando menos veces A y menos veces B, para que la suma de los dos sea 32 tiempos. Por ello, reducimos a la mitad A y a la mitad B.

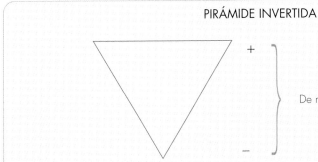

PIRÁMIDE INVERTIDA

+

−

De más a menos repeticiones

La diferencia entre la suma y la pirámide invertida es que con la segunda los movimientos ya memorizados se repiten menos veces. Por ejemplo, hacemos el movimiento A ocho veces hasta memorizarlo; porteriormente hacemos una vez el movimiento A y otras ocho el B; luego haremos A y B y aprenderemos el C... Así hasta que todos los movimientos sumen los 32 tiempos. Es importante, para comprender este ejercicio, que no confundamos tiempos con repeticiones; las repeticiones son las veces que hacemos un movimiento hasta aprenderlo; por otro lado, los tiempos son los pasos que comprenden cada movimiento.

Esquema:
MOVIMIENTO A
MOVIMIENTO A + POSINSERTO B
MOVIMIENTO A + B + POSINSERTO C
MOVIMIENTO A + B + C + POSINSERTO D

MÉTODO DE INSERCIONES

Para entender el sistema de inserciones, empezamos aprendiendo el movimiento o movimientos que cambian de pierna líder y a estos les vamos sumando el resto de movimientos que no cambian de pierna líder. En caso de que el movimiento o movimientos que no cambian de pierna líder (uves, mambos...) en el producto final vayan por delante del movimiento que sí cambia de pierna líder, preinsertamos:

Por ejemplo; tomemos como base estos movimientos: A = 2 uves, B = 1,1,2 femoral.

Primero aprenderemos el movimiento que cambia de pierna líder que en este caso es B y luego le sumaremos A, de la siguiente manera:

1.° MOVIMIENTO B 4* (cantidad de repeticiones) ((8 t) 1,1,2 femoral) = 32 tiempos
2.° PREINSERTAMOS A + B
(8 t) PLD 2 uves + 1,1,2 femoral ídem con PLI

En caso de que el movimiento o movimientos que no cambian de pierna líder en el producto final vayan por detrás del movimiento que cambia de pierna, posinsertaremos:

Por ejemplo, si A = 1,1,2 femoral; B = 2 uves

Aprenderemos primeramente el movimiento que cambia de pierna líder que en este caso es A y luego le sumaremos B, de la siguiente manera:

1.° MOVIMIENTO A 4* ((8 t) 1,1,2 femoral) = 32 tiempos
2.° POSINSERTAMOS A + B
(8 t) PLD 1,1,2 femoral + pierna izquierda (24 t) 6* uves; ídem con PLI

La progresión quedaría de este modo:

1.°   MOVIMIENTO A

Bloque = 32 tiempos; MOVIMIENTO A = 8 tiempos;
32 tiempos bloque: 8 tiempos A = 4 repeticiones o veces que ejecutamos A
= 4 veces. 4* (8 t) 1,1,2 femoral) = 32 tiempos

2.°   MOVIMIENTO A + B = 32 tiempos. Postinsertamos B.

PLD (8 t)1*1,1,2 femoral + PLI (24 t) 12* step touch
Iremos sumando los movimientos al movimiento que cambia de pierna líder, que en este caso es A. Como A vale 8 tiempos, el resto de los tiempos hasta llegar a los 32 del bloque, lo completamos con el siguiente movimiento B, que es el step touch.

Ídem con la pierna líder izquierda.

3.º   MOVIMIENTO A + B + C = 32 tiempos. Postinsertamos C:

PLD (8 t)1 * 1, 1, 2 femoral + PLI (8 t) 4 * step touch + PLI (16 t) 4 * pasos cruzados.

Sumamos el siguiente movimiento, que es C, cubriendo los tiempos que nos quedan que en este caso son 16 tiempos, ya que a B lo hemos reducido por pirámide invertida dejándolo en 8 tiempos:

A + B + C + D = 8 + 8 + 8 + 8 = 32 TIEMPOS con lo que ya hemos reducido A y B que son 16 tiempos y los otros 16 tiempos lo cubrimos con el siguiente movimiento que en este caso es C o paso cruzado.

Como un paso cruzado vale 4 tiempos, hasta 16 tiempos que nos quedan, hacemos 4 pasos cruzados.

Ídem con la pierna líder izquierda.

4.º MOVIMIENTO A + B + C + D = 32 tiempos. Postinsertamos D:

PLD (8 t)1 * 1, 1, 2 femoral + PLI (8 t) 4 * step touch + PLI (8 t) 2 * pasos cruzados + (8 t) 4 * balanceos

Sumamos el último movimiento, que es D, cubriendo los tiempos que nos faltan.

Unión

Este método o técnica de enseñanza consiste en desglosar una secuencia de movimientos en varias partes uniéndolas en un producto final o bloque.

A diferencia de la suma, aprenderemos los movimientos de dos en dos y no de uno en uno, uniendo las parejas en un «todo».

1.º   MOVIMIENTO A: aprendemos un primer movimiento, repitiéndolo tantas veces como nos sea necesario para su memorización.
2.º   MOVIMIENTO B: lo aprendemos y lo repetimos hasta memorizarlo.
3.º   MOVIMIENTO A + B: sumamos los dos movimientos y los repetimos tantas veces como sea necesario, para su aprendizaje o memorización.
4.º   MOVIMIENTO C: lo aprendemos y lo repetimos hasta memorizarlo.
5.º   MOVIMIENTO D: lo aprendemos y lo repetimos tantas veces como sea necesario para su memorización.
6.º   MOVIMIENTO C + D: sumamos los dos movimientos y los repetimos tantas veces como sea necesario, para su aprendizaje o memorización.

7.º   MOVIMIENTO (A + B) + (C + D): unimos ambas partes, ambas parejas.
MOVIMIENTO (A + B) + (C + D) = 32 TIEMPOS o BLOQUE.

Seguimos el siguiente esquema para obtener el 100% equilibrio:

MOVIMIENTO A
MOVIMIENTO A + POSINSERTAMOS B (A + B):
MOVIMIENTO C
MOVIMIENTO D
MOVIMIENTO (C + D)
UNIÓN (A + B) + (C + D): aquí es donde se obtienen los 32 tiempos.

1.º MOVIMIENTO A = 4* (8 t) 1,1,2 femoral) = 32 tiempos.

2.º POSINSERTAMOS B (A + B) = PLD 1*1,1,2 femoral + pierna izquierda 2*uves ídem PLI.

Ya tenemos la primera parte o pareja de nuestro producto final o coreografía.

3.º MOVIMIENTO C = 4* (8 t) 1,1,2 step touch) = 32 tiempos.

4.º MOVIMIENTO D = 4* (8 t) 4 rodillas) = 32 tiempos.

5.º MOVIMIENTO (C + D) = 2* 1,1,2 femoral + 2* 4 rodillas = 16 t + 16 t = 32 tiempos

1   MOVIMIENTO A = MARCHAS (SIN BRAZOS)

16 TIEMPOS MOVIMIENTO A = 16* marchas

1. Flexionamos la rodilla de la pierna líder como si nos
dispusiéramos a andar y apoyamos posteriormente el
pie sobre el suelo.
2. Repetimos la secuencia con la otra pierna. De este
modo, iremos haciendo repeticiones hasta alcanzar los
16 tiempos.

1

2

2 MOVIMIENTO B = STEP TOUCH (SIN BRAZOS)

16 TIEMPOS MOVIMIENTO B = 8* step touch o lado-lado

Recordemos cómo se realiza el step
touch, ya explicado anteriormente:

1. Abrimos la pierna líder
derecha al lado derecho,
paralela a la otra pierna.

2. Juntamos la otra pierna a la
pierna líder desplazándonos
ligeramente hacia el lado que hemos
abierto la pierna, en este caso el
derecho.

Como podemos observar, de un movimiento a otro difieren los brazos, como es el caso de D a E, o
bien en las piernas como es el caso de C a D. Nunca cambiamos ambas partes a la vez.

En este caso, no podremos reducir más C y D, ya que si dejamos ambos movimientos reducidos a 8
tiempos cada uno, al sumarlos y formar la segunda parte de nuestro bloque, ambos cambian de pierna líder, por lo que al ejecutarlos siempre trabajaríamos con la pierna líder derecha C y con la izquierda D,
pero nunca con la pierna líder izquierda C y derecha D, así que nos quedamos de la siguiente manera:

PLD	PLI
(2)* (A + B)	(A + B)
(2)* C	C
(2)* D	D

Reducimos por pirámide invertida:

PLD (A + B) + **PLI** C + **PLD** D = 32 tiempos
PLI (A + B) + **PLD** C + **PLI** D = 32 tiempos

Al igual que en la suma, obtenemos mayor simetría con la unión por inserciones que con la unión simple. Ambas técnicas de enseñanza han experimentado la evolución necesaria para ser con el tiempo más
correctas y efectivas.

Progresión lineal

Otra técnica de enseñanza o método que también podemos utilizar en nuestros calentamientos, además de la suma y la unión, es la progresión lineal. Consiste en la conexión de movimientos, realizando pequeños ajustes, bien sean de las piernas o de los brazos pero nunca el tren superior (brazos) e inferior (piernas) a la vez. Encadenamos movimientos simples realizando cambios de un solo miembro. Nuestro método de construcción en este caso no será el bloque, ya que los movimientos no se agrupan de esta manera. No tendremos ninguna obligación de volver siempre al primer movimiento A, como en las anteriores técnicas de enseñanza suma y unión.

3 MOVIMIENTO C = STEP TOUCH O LADO–LADO + HOMBROS

6 TIEMPOS MOVIMIENTO C = 8* step touch o lado-lado + hombros

1. Abrimos la pierna líder derecha al lado derecho, paralela a la otra pierna y al mismo tiempo iniciamos una rotación de hombros.
2. Juntamos la otra pierna a la pierna líder desplazándonos ligeramente hacia el lado que hemos abierto la pierna, en este caso el derecho, al mismo tiempo que terminamos la rotación de hombros.

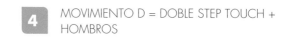

4 MOVIMIENTO D = DOBLE STEP TOUCH + HOMBROS

16 TIEMPOS MOVIMIENTO D = 4* doble step touch + hombros

1. Abrimos la pierna líder derecha al lado derecho, paralela a la otra pierna y al mismo tiempo iniciamos una rotación de hombros.
2. Juntamos la otra pierna a la pierna líder desplazándonos ligeramente hacia el lado que hemos abierto la pierna (el derecho) al mismo tiempo que terminamos la rotación de hombros. Repetimos lo que hemos hecho en el tiempo 1. Repetimos lo que hemos hecho en el tiempo 2.

5 MOVIMIENTO E = DOBLE STEP TOUCH + REMO BAJO

16 TIEMPOS MOVIMIENTO E = 4* doble step touch + remo bajo

1. Abrimos la pierna líder derecha al lado derecho paralela a la otra pierna y al mismo tiempo iniciamos el remo bajo, adelantando nuestros brazos hacia la altura de las caderas.

2. Juntamos la otra pierna a la pierna líder desplazándonos ligeramente hacia el lado que hemos abierto la pierna (el derecho), al mismo tiempo que terminamos el movimiento de remo bajo aproximando los brazos a las caderas respectivamente.
3. Repetimos lo que hemos hecho en el tiempo 1.
4. Repetimos lo que hemos hecho en el tiempo 2.

6 MOVIMIENTO F = PASO CRUZADO + REMO BAJO

16 TIEMPOS MOVIMIENTO F = 4* paso cruzado + remo bajo

1

2

3

1. Abrimos la pierna líder a un lado, a la vez que adelantamos nuestros brazos en remo bajo.

2. Pasamos la otra pierna por detrás, a la vez que aproximamos nuestros brazos a la altura de las caderas.

3. Abrimos la pierna líder a un lado, y adelantamos nuestros brazos.

4. Elevamos la otra pierna flexionando la rodilla, acercando el talón al glúteo y aproximando nuestros brazos a las caderas.

4

7 MOVIMIENTO G = PASO CRUZADO + BÍCEPS ALTERNO

16 TIEMPOS MOVIMIENTO G = 4* paso cruzado + bíceps alterno

2. Pasamos la otra pierna por detrás, desplazándonos lateralmente a la vez que flexionamos el brazo que anteriormente teníamos estirado y estiramos el otro.

3. Abrimos de nuevo la pierna líder a un lado al igual que en el tiempo 1 con su respectivo movimiento de brazos.

4. Elevamos la otra pierna flexionando la rodilla, acercando el talón al glúteo y alternando la flexión y estiramiento de los brazos al igual que en los anteriores.

1. Abrimos la pierna líder a un lado iniciando así el paso cruzado, a la vez que iniciamos el movimiento de bíceps alternos, flexionando un brazo y estirando el otro.

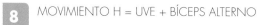

8 MOVIMIENTO H = UVE + BÍCEPS ALTERNO

16 TIEMPOS MOVIMIENTO H = 4* uves + bíceps alterno

1. Abrimos la pierna líder hacia delante y apoyamos con el pie hacia fuera a la vez que ejecutamos el movimiento de brazos flexionando un brazo y estirando el otro.

2. Devolvemos a la posición inicial la pierna líder con la correspondiente flexión y extensión de nuestros brazos.

3. Estiramos el brazo de la pierna que inicia el movimiento y flexionamos el otro. Situamos la otra pierna separada pero paralela a la anterior con el pie también hacia fuera (apuntando hacia la otra dirección) y cambiamos en sintonía la flexión y extensión alterna de los brazos.

4. Devolvemos a la posición inicial la otra pierna con flexión y extensión alterna de nuestros brazos.

9 MOVIMIENTO I = UVE + PECTORAL

16 TIEMPOS MOVIMIENTO I = 4* uves + pectoral

1. Abrimos la pierna líder hacia adelante y apoyamos con el pie ligeramente abducido hacia fuera a la vez que extendemos ambos brazos adelante, paralelos entre sí, a la altura de nuestro pectoral.

2. Situamos la otra pierna separada pero paralela a la anterior, con el pie también ligeramente abducido hacia fuera (apuntando hacia la otra dirección) y flexionamos ambos brazos acercándolos al pectoral.

3. Cerramos o devolvemos a la posición inicial la pierna líder con la correspondiente extensión de brazos.

4. Cerramos o devolvemos a la posición inicial la otra pierna con la correspondiente flexión de brazos.

10 MOVIMIENTO J = TALONES + PECTORAL

16 TIEMPOS MOVIMIENTO J = 8* talones + pectoral

1. Tocamos con el talón de la pierna líder delante, extendiendo ambos brazos adelante, paralelos entre sí a la altura de nuestro pecho.

2. Devolvemos la pierna líder a su posición inicial y a su vez flexionamos ambos brazos a la altura de nuestro pecho.

11 MOVIMIENTO K = DOBLE TALÓN + PECTORAL

16 TIEMPOS MOVIMIENTO K = 4* doble talón + pectoral

Tocamos con el talón de la pierna líder delante, extendiendo ambos brazos delante, paralelos entre sí a la altura de nuestro pecho. Devolvemos la pierna líder a su posición inicial y a su vez flexionamos ambos brazos a la altura de nuestro pecho. De nuevo con la misma pierna líder tocamos con el talón de delante, extendiendo ambos brazos paralelos entre sí a la altura de nuestro pecho. Devolvemos la pierna líder a su posición inicial y a su vez flexionamos ambos brazos a la altura del pecho.

1. Tocamos con el talón de la pierna líder delante, extendiendo ambos brazos atrás.

1

2

12 MOVIMIENTO L = DOBLE TALÓN + TRÍCEPS

16 TIEMPOS MOVIMIENTO L = 4* doble talón + tríceps

2. Devolvemos la pierna líder a su posición inicial y a su vez flexionamos ambos brazos.

3. Repetimos de nuevo lo que hemos hecho en el tiempo 1.
4. Repetimos el tiempo 2.

13 MOVIMIENTO M = LUNGES ATRÁS + TRÍCEPS

16 TIEMPOS MOVIMIENTO M = lunges atrás + tríceps

1. Abrimos y tocamos con la punta del pie de la pierna líder atrás extendiendo ambos brazos atrás.

2. Devolvemos la pierna líder a su posición inicial a la vez que flexionamos nuestros brazos.

1

2

MOVIMIENTO N = DOBLE LUNGE ATRÁS + TRÍCEPS

16 TIEMPOS MOVIMIENTO N = doble lunge atrás + tríceps

1. Tocamos con la punta del pie de la pierna líder atrás extendiendo ambos brazos.

2. Devolvemos la pierna líder a su posición inicial a la vez que flexionamos nuestros brazos.

3. De nuevo tocamos con la punta del pie de la pierna líder atrás extendiendo ambos brazos atrás.

4. Devolvemos la pierna líder a su posición inicial a la vez que flexionamos nuestros brazos.

En la progresión lineal tenemos varias opciones:

- Repetir la rutina varias veces.
- Reducirla por pirámide invertida aumentando su dinamismo; es decir, 8 tiempos de todos los movimientos, por lo que reduciremos las repeticiones de cada movimiento aumentando la velocidad de ejecución de la rutina.
- Jugar con el orden de la rutina ejecutándola al revés: del final, al principio. De N a A. Es decir:

16 TIEMPOS MOVIMIENTO N = 4* Doble lunge + tríceps
16 TIEMPOS MOVIMIENTO M = 8* lunges + tríceps
16 TIEMPOS MOVIMIENTO L = 4*Doble talón + tríceps
16 TIEMPOS MOVIMIENTO K = 4* Doble talón + pectoral
16 TIEMPOS MOVIMIENTO J = 8* talón + pectoral
16 TIEMPOS MOVIMIENTO I = 4*uves + pectoral
16 TIEMPOS MOVIMINTO H = 4* uve + bíceps
16 TIEMPOS MOVIMIENTO G = 4* paso cruzado + bíceps

Y así sucesivamente, hasta llegar a A.

No hay ninguna norma en la progresión lineal que nos indique cuántos tiempos debemos ejecutar de cada movimiento, pero sí debemos hacer los mismos tiempos de cada uno de los movimientos; es decir, en caso de tener 16 tiempos de A, deberemos ejecutar 16 tiempos de B,C,D, etc.

Requisitos de efectividad y duración

Para que nuestro calentamiento sea lo más efectivo posible, tendremos que:

1. Utilizar una música apropiada a la actividad que en ese momento estemos realizando. La música va ligada directamente a la práctica aeróbica, por lo que siempre la utilizaremos junto a ella, haciendo que sea más dinámica y divertida:

- La música deberá acomodarse al tipo o estilo de movimientos que estemos utilizando en ese momento y al instante de la práctica aeróbica en que nos encontremos.
- La velocidad musical también jugará un papel muy importante en la práctica aeróbica, debiendo respetar una serie de límites de velocidad musical, para que sea segura y efectiva. En el caso del calentamiento, la velocidad musical recomendada es de 130-138 BPM. Si vamos más lentos la actividad nos podrá resultar aburrida y, por el contrario, si vamos más rápidos, la actividad podrá resultar insegura.

2.   Movimientos de bajo impacto

En el calentamiento de la práctica aeróbica no ejecutaremos movimientos de alto impacto o con propulsión, ya que ni nuestros músculos ni nuestros tendones están preparados para contrarrestar la sobrecarga del impacto, y correríamos el riesgo de lesionarnos.

Por ejemplo, 4* STEP TOUCH

Abrimos la pierna líder
hacia un lado.

A continuación, juntamos la otra
pierna y así sucesivamente.

3.   Evitar en la medida de lo posible los movimientos de brazos por encima de la cabeza.

Estos movimientos sí están permitidos dentro de la práctica aeróbica, pero habrá que utilizarlos de manera suave y alterna y no de manera dura y rápida.

Los brazos por encima de la cabeza generan un incremento de la tensión del sistema circulatorio a áreas superiores al corazón, creando una fatiga innecesaria en ciertos grupos musculares, como es el caso del deltoides. Si a este grupo muscular lo trabajamos de una manera rápida y dura, lo agotamos prematura e innecesariamente. En el caso del calentamiento, si utilizamos movimientos por encima de la cabeza y no de una manera del todo adecuada, corremos el riesgo de crear una tensión innecesaria en los deltoides. Tenemos que preguntarnos cuáles son los grupos musculares que soportan el peso corporal durante la sesión aeróbica, y si es correcto calentar en exceso el miembro superior, si así cumplimos con los objetivos marcados en el calentamiento. La respuesta es claramente un no.

Además al sobrecargar grupos musculares como el deltoides corremos el riesgo de lesión (contracturas, tensión cervical...), por lo que tendremos que cuidar mucho la utilización de los brazos por encima de la cabeza.

4. Posiciones de estiramientos

En el calentamiento, siempre evitaremos aquellos estiramientos en los que tengamos que tumbarnos o sentarnos en el suelo, ya que de esta manera nos bajarán en gran medida tanto los niveles de motivación, como el nivel de pulsaciones, rompiendo así la progresión de nuestro trabajo cardiovascular y no cumpliendo con uno de nuestros objetivos propuestos en el calentamiento (elevación de la temperatura corporal y del nivel de pulsaciones).

Estiramiento de cuello.

Estiramiento superior de la espalda.

Estiramiento de gemelo.

5. Complejidad coreográfica

Ya hemos dicho con anterioridad que el calentamiento nos prepara no solo física, sino también psicológicamente para lo que viene a continuación. Al hablar de una coreografía sencilla no estamos hablando de una coreografía aburrida, deberá ser una coreografía sencilla a la vez que atractiva. Existen diferentes maneras para hacer que nuestro calentamiento sea dinámico. Por ejemplo:

- Variedad coreográfica utilizando diferentes movimientos.
- Cambios de dirección, desplazamientos o giros de escasa dificultad.
- Empezamos ejecutando la coreografía desde diferentes posiciones de inicio:
  - Mirando al frente.
  - Mirando a los lados de la habitación.
- Variedad coreográfica en la movilidad, bien sea en el orden de los estiramientos dinámicos, bien sea la orientación en la que ejecutemos las transiciones que nos llevan a los estiramientos dinámicos.

6. La duración para que un calentamiento sea efectivo deberá ser de 10 a 12 minutos.

Ejemplo de calentamiento básico

Según la destreza o experiencia que tengamos en la práctica aeróbica ejecutaremos un tipo de calentamiento u otro; es decir, en caso de que seamos poco experimentados, nuestro calentamiento será más sencillo, mientras que si tenemos más experiencia en la práctica aeróbica nuestro calentamiento tendrá más dificultad coordinativa. Adaptaremos el calentamiento a nuestras circunstancias para que así cubra mejor nuestras necesidades y cuanto mayor experiencia tengamos en la práctica aeróbica, mayor riqueza coordinativa podrán contener nuestros calentamientos. Eso sí, siempre teniendo en cuenta que es la primera fase de la práctica aeróbica y que supone nuestra preparación física y psicológica, lo que conlleva que este calentamiento nunca pueda causar nuestra frustración.

CUENTAS	PIERNA LÍDER	TREN INFERIOR	DESPLAZAMIENTO	DIRECCIÓN	TREN SUPERIOR
8	D	1,1,2 femoral	En el sitio	Hacia delante	Remo bajo bilateral. Palanca corta
8	I, D	4* Step touch	En el sitio	Hacia delante	Remo bajo bilateral. Palanca corta
8	I, D	2* pasos cruzados	Lateral	Lado D, I	Aspas unilateral. Palanca larga
8	I	4* balanceos	En el sitio	Hacia delante	Curl bíceps bilateral. Palanca corta
ÍDEM* 32 I					

SECCIÓN CARDIOVASCULAR

Metodologías y movimientos de enseñanza básicos

Progresión lineal

Ya hemos hablado en el tema del calentamiento de esta metodología, que consiste en que conectemos movimientos, realizando pequeños ajustes, bien sean las piernas o bien sean los brazos, aunque nunca ambos miembros a la vez.

Si no calientas correctamente, acumulatás más fatiga en menos tiempo.

Existen dos métodos o maneras de que podamos conectar estos movimientos entre sí aparte de la que ya hemos visto en el tema del calentamiento. Dichos métodos son:

MÉTODO ZIGZAG

Al usar este método, en cualquier momento de la progresión dejamos de avanzar, nos detenemos y volvemos unos cuantos movimientos atrás en el orden contrario, luego retomamos el orden original y continuamos repitiendo este proceso tantas veces como queramos. El esquema resultante sería así:

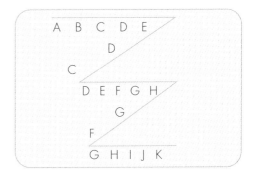

MÉTODO CABEZA-COLA

Con este método, unimos dos movimientos y los repetimos un número de veces. Nos quedamos con el segundo movimiento o cola de la pareja, deshaciéndonos del primero o cabeza y lo unimos a otro nuevo formando una nueva pareja que también repetiremos un número de veces. Posteriormente, repetiremos el esquema completo, lo que en resumen quedaría así:

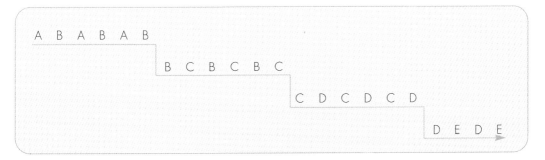

CAPAS O MÉTODO DE TRANSFORMACIÓN

Este es el método por el que vamos a incrementar la dificultad o intensidad de los movimientos básicos mediante los elementos de variación, que son las capas que introducimos a los movimientos básicos. Establecemos un patrón base al que introducimos gradualmente cambios o capas, aumentando así su intensidad. De esta manera iremos de una combinación de movimientos sencilla a una más compleja; es decir, conseguiremos llegar a nuestro producto final.

Para ello, tendremos en cuenta algunas pautas:

- Las transformaciones o capas las introduciremos de una en una.
- Las capas deberán ocupar el mismo espacio o los mismos tiempos que la base a la que transformamos y respetar la pierna líder que dirige.
- Para introducir las transformaciones o capas seguiremos un orden lógico; es decir, de más sencillas a más complejas, siendo las últimas en introducir las que requieren mayor dificultad como los giros y cambios de dirección complicados. Los giros serán siempre las últimas capas que introduciremos y serán opcionales.

Por ejemplo:

BASE
A = (2 t) RODILLA + 6 MARCHAS = 8 t
B = 8 MARCHAS = 8 t
C = 1,1,2 PATADAS LATERALES
D = 2* PISO TALÓN + DOBLE

BLOQUE BÁSICO

CUENTAS	PIERNA LÍDER	TREN INFERIOR	DESPLAZAMIENTO	DIRECCIÓN	TREN SUPERIOR
8	D	Chassé + 3* mambitos	Lateral D	Lado D	Brazo delante, lado atrás
8	I	2* mambos laterales	En el sitio	Hacia delante	Aspas
8	I	2* patadas laterales alternas + 1* doble patada lateral	En el sitio	Hacia delante	Remo bajo
8	D	2* swing + Elvis	En el sitio	Hacia delante	Naturales
ÍDEM* 32 I					

1 MOVIMIENTO A = RODILLA + 6 MARCHAS

- Variación de modo = rodilla = chassé
- Variación de forma = 6 marchas = 3* mambitos delante, al lado y atrás

Chassé (pág.30).

Posinsertamos 8 marchas

Mambito (pág. 52).

2 MOVIMIENTO B = 8 MARCHAS

- Variación de forma = 8 marchas = 2* mambos laterales
- (A + B) = (8 t) chassé + 3*mambitos delante, al lado y atrás D + (8 t) 2* mambos laterales I, ÍDEM PIERNA IZQUIERDA

Patadas frontales (pág. 25): con la pierna líder apoyada en el suelo, levantamos la otra pierna y damos una patada al frente.

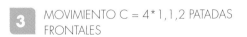

Marcha (pág. 17). Mambo (pág. 21).

3 MOVIMIENTO C = 4*1,1,2 PATADAS FRONTALES

- Variación de forma = 1,1,2 patadas frontales = 1,1,2 patadas laterales

Patadas laterales (pág. 25): con la pierna líder apoyada, levantamos la otra pierna, la doblamos y damos una patada al lado.

4 MOVIMIENTO D = 4* 2* PISO TALÓN + DOBLE

- Variación de forma = 2* piso talón = 2 swing
- Variación de forma = doble = elvis

REDUCIMOS POR PIRÁMIDE INVERTIDA
C,C = 2* 1,1,2 Patadas laterales
D,D = 2* 1,1,2 swing + Elvis

REPASAMOS:
(A + B) D, (A + B) I
C, D C, I
D, D D, I

Swing (pág. 41).   Elvis (pág. 42).

UNIMOS (A + B) D + C, I + D, D E ÍDEM CON LA OTRA PIERNA LÍDER IZQUIERDA

BLOQUE AVANZADO

CUENTAS	PIERNA LÍDER	TREN INFERIOR	DESPLAZAMIENTO	DIRECCIÓN	TREN SUPERIOR
10	D	Paso cruzado + Hop, toco delante, atrás, marcha, toco delante y atrás Hop	Lateral D	Lado D	Libres
2	I	1* mambito	En el sitio	Hacia adelante	Naturales
4	I	Giro	Rotacional Lateral I	Lado I contrario agujas reloj	Ídem
ÍDEM* 16 I					

 1 4*PASO CRUZADO = 32 T

Paso cruzado
(pág. 19).

2 POSINSERTAMOS: 6 FEMORALES ALTERNOS

Femorales alternos
(pág. 25).

3 PASO CRUZADO D + 6 FEMORALES
ALTERNOS I, D = 16 T

4 INTRODUCIMOS CAPAS   Vista lateral

- Variaciones de forma
  (16 T) PASO CRUZADO D + 4 FEMORALES I + 2 FEMORALES
  ALTERNOS I, D + ÍDEM PIERNA I (16T) = 16 + 16 = 32 T

- Variaciones de forma
  (16 T) PASO CRUZADO D + 4 FEMORALES I + 4 marchas + ÍDEM PIERNA IZQUIERDA (16 T)

- Variaciones de forma
  PASO CRUZADO D + 3 FEMORAL I + MAMBO I + 4 marchas I, D + ÍDEM PIERNA
  IZQUIERDA (16 T)

- Variaciones de forma
  PASO CRUZADO CON TALÓN FUERA D + 3 FEMORAL I + MAMBO I
  + 4 MARCHAS I, D + ÍDEM PIERNA IZQUIERDA (16 T)

- Variación de forma y ritmo
  PASO CRUZADO CON TALÓN FUERA D + PISO STOP, PISO STOP, TALÓN FUERA +
  PISO STOP, PISO STOP, TALÓN FUERA + MAMBO I + 4 MARCHAS I, D + ÍDEM I

■ Variación de forma
PASO CRUZADO D CON TALÓN FUERA I + TOCO
DELANTE, ATRÁS + MARCHA + TOCO DELANTE, ATRÁS,
TALÓN FUERA + MAMBO I + 4 MARCHAS I, D + ÍDEM I
La secuencia en imágenes sería:

4. MARCHA
Marchamos con
la pierna líder
(derecha).

1. TALÓN
FUERA
Derecha
terminamos
el paso
cruzado.

2. TOCO DELANTE
Tocamos con la
pierna derecha
delante.

3. ATRÁS
Tocamos con la
pierna derecha al
lado.

5. TOCO DELANTE
Tocamos con la
pierna derecha
delante.

8. MAMBO I
Pisamos con la
pierna derecha
delante.

6. ATRÁS
Tocamos con la pierna
derecha al lado.

7. TALÓN FUERA
Elevamos la
misma pierna
hacia fuera.

■ Variación de modo
4 T PASO CRUZADO D + HOP, TOCO DELANTE I, ATRÁS I, MARCHA D,
TOCO DELANTE I Y ATRÁS I HOP + MAMBO I + 4 MARCHAS I, D + ÍDEM I
Esta secuencia en imágenes sería:

4. MARCHA D
Marchamos con la pierna
líder (derecha).

3. Tocamos
atrás con la
pierna
izquierda.

5. Tocamos delante de
nuevo con la pierna
derecha.

1. HOP

2. Tocamos delante
con la pierna
izquierda.

7b

7. HOP

7c

7a

8. Mambo con la pierna
izquierda.

6. ATRÁS I
De nuevo con la
pierna izquierda.

5 DESDE EL MAMBO

■ Variación de giro
MAMBO I + GIRO I, D + 2 MARCHAS I, D + ÍDEM I
Lo que en imágenes, sería:

MARCHA I
Completamos el giro con la
pierna izquierda rígida.

MAMBO I

GIRO I
Abrimos la pierna
izquierda preparándonos
para el giro.

CIRO D
Giramos sobre la
pierna derecha.

MARCHA D
Marcharemos sobre
la pierna derecha.

■ Variación de desplazamiento, direccción
MAMBO I + GIRO I, D + 2 PASOS HACIA LADO I I, D + ÍDEM I

Pirámide invertida

Ya hemos visto esta metodología en el capítulo del calentamiento.

Esta técnica la emplearemos continuamente en la práctica aeróbica, junto a las otras técnicas o metodologías, como es el caso de la suma y la unión. Gracias a ella podremos llegar a obtener el producto final. También se llama método de reducción, pues consiste en que reduzcamos el número de repeticiones de un movimiento (o secuencia de movimientos) gradualmente, obteniendo así una combinación cada vez más compleja. De esta manera, yendo de más repeticiones a menos, aprenderemos el producto final.

Patrón fijo resta

Consiste en facilitar el aprendizaje de una combinación; para
ello introducimos un patrón estable de movimiento que consistirá en
movimientos básicos, como el step touch o las marchas. Una vez que hayamos aprendido la combinación, este patrón fijo desaparecerá; de ahí su nombre (resta), pues no forma parte del producto final o bloque, sino que se utiliza para facilitarnos el aprendizaje del bloque o bloques cuando nuestra coreografía contiene un elevado número de capas.

Por ejemplo: Seguimos el ejemplo que hemos utilizado en el método de transformación
o capas.

BASE
A = (2 t) RODILLA + 6 MARCHAS = 8 t
B = 8 MARCHAS = 8 t
C = 2* PASOS CRUZADOS = 8 t
D = 2* UVES = 8 t

Introducimos CAPAS
1. A = Variación de modo CHASSÉ + 6 MARCHAS.
2. B = Variación de forma 2* MAMBOS LATERALES
3. A = Variación de forma CHASSÉ + 3*MAMBITOS DELANTE, AL
   LADO Y ATRÁS

Las siguientes capas que vamos a introducir van a ser los
giros, por ello es conveniente que introduzcamos un patrón fijo
resta entre medias, para facilitarnos el aprendizaje de la coreografía.

Tengamos en cuenta que los giros encierran dificultad y nos podemos marear
a la hora de poder ejecutarlos, por ello necesitaremos un patrón fijo resta, que
nos permita tener más tiempo para el correcto aprendizaje de la coreografía.
Una vez que se haya aprendido la coreografía, este patrón fijo resta
desaparecerá.

De manera que tenemos:
A, D + B, I + C, I + D, I PATRÓN FIJO RESTA (32 TIEMPOS)
A, I + B, D + C, D + D, D PATRÓN FIJO RESTA (32 TIEMPOS)
A + B + C + D = A (CHASSÉ + 3* MAMBITOS, D) + B (2*MAMBOS LATERALES, I) + C 2* (PA-
SOS CRUZADOS I, D) + D (2* UVES, I) + PATRÓN FIJO RESTA DE 16* LADO, LADO, ÍDEM I

4. D = Variación de giro UVE + UVE GIRO 180°
5. C = Variación de giro PASO CRUZADO + PASO CRUZADO GIRO 360°

Una vez que hayamos aprendido el producto final, incluidos los giros, eliminaremos el patrón fijo resta y ejecutaremos el bloque seguido, tanto a la derecha como a la izquierda.

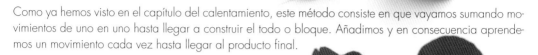

Suma

Como ya hemos visto en el capítulo del calentamiento, este método consiste en que vayamos sumando movimientos de uno en uno hasta llegar a construir el todo o bloque. Añadimos y en consecuencia aprendemos un movimiento cada vez hasta llegar al producto final.

Unión

Como también hemos podido ver ya en el tema del calentamiento, este método consiste en ir uniendo movimientos de dos en dos hasta obtener nuestra parte del todo o bloque. Creamos parejas de movimientos que aprenderemos, repetiremos tantas veces como sea necesario y finalmente uniremos entre sí formando el bloque.

Ambas metodologías o técnicas de enseñanza, suma y unión, ofrecían una proximidad al 100% de equilibrio sin llegar a conseguirla. Este equilibrio relativo dependía de los movimientos que utilizábamos y del orden de los movimientos que cambiaban de pierna líder en nuestro producto final, pero aun así no conseguíamos el 100% de equilibrio real. Sí obteníamos el equilibrio en nuestros productos finales, pero no en nuestras progresiones.

Metodologías y movimientos de enseñanza avanzados

Inserciones

Este es el método más avanzado que existe hasta el momento y con él conseguiremos el 100% de equilibrio tanto en nuestras progresiones, como en nuestro producto final aplicándolo a todas las metodologías, como el caso de la suma y la unión.

Como vimos en el capítulo del calentamiento, empezamos aprendiendo el movimiento o movimientos que cambian de pierna líder y a estos les vamos sumando el resto de movimientos que no cambian de pierna líder. En caso de que el movimiento o movimientos que no cambian de pierna líder (uves, mambos...) en el producto final vayan por delante del movimiento que cambia de pierna líder, preinsertamos; por el contrario, cuando estos movimientos vayan por detrás del movimiento que cambia de pierna líder posinsertamos.

Frases cruzadas

Este método es uno de los más complicados de dominar, por no decir directamente que es el más difícil. Se caracteriza porque al emplearlo utilizamos movimientos o combinaciones con cuentas irregulares, movimientos impares o suma de movimientos que hacen un total de tiempos distintos de 8, 16, 24 o 32 t.

Como ya hemos explicado en capítulos anteriores, el método de construcción en la práctica aeróbica es de 32 tiempos. Por ello, la música que utilizamos en la práctica aeróbica es música cuadrada; es decir, que se agrupa de 32 en 32 tiempos… Estas cuentas se agrupan en números pares: 2 t, 4 t, 8 t, 16 t, etc., por lo general tendemos a utilizar movimientos con cuentas pares para crear nuestra coreografía, que sumamos o unimos hasta llegar a los 32 tiempos, por lo que trabajamos siempre con música. Trabajamos en frase. Hasta ahora todos los movimientos que hemos visto y utilizado en nuestros ejemplos han tenido cuentas pares:

LADO, LADO = 2 t
PASO CRUZADO = 4 t
UVE = 4 t…

Pero existen movimientos que podemos utilizar en la práctica aeróbica que tienen cuentas impares como:

MAMBITO = 3 t
ARAÑA = 5 t

En estos casos, cuando utilizamos un movimiento, sea el que sea, con un número diferente de cuentas no convencionales o no regulares, trabajamos en frase cruzada y no en frase como los anteriores. La sensación musical que percibiremos al utilizar movimientos impares es que vamos fuera de música y que nos incorporaremos a ella, cuando con la suma de estos entremos otra vez en frase, bien sea en el tiempo 8, 16 o 32 t.

Por lo tanto, a pesar de que utilicemos movimientos impares, nuestro método de construcción seguirá siendo el bloque, por lo que trataremos de sumarlos o unirlos hasta llegar a los 32 tiempos que lo forman.

Por ejemplo:
A = (6 t) 2* MAMBITOS 3 t + (2 t) CHASSÉ = 8 t

A pesar de que utilizamos movimientos impares como los mambitos, la percepción musical será mínima, ya que en seguida entramos en música o en frase con el chassé, completando los ocho tiempos que forman la frase musical.

A + B = (10 t) 2* ARAÑAS 5 t + (6 t) 3 RODILLAS = 16 t

También podremos conseguir trabajar en frase cruzada si sumamos movimientos pares que forman cuentas no comunes; es decir, sumamos movimientos entre sí que como resultado final forman a su vez combinaciones que no son de 8 t, son de 10 t, 14 t, 15 t… y al final, al igual que los anteriores, los cuadramos en frase.

1 A + B = (6 T)1 PASO CRUZADO 4 T + FEMORAL 2 T *2 VECES (12 T) + (4 T) PASO CRUZADO NORMAL = 16 T
Lo que en imagenes sería:

4. PASO CRUZADO
Elevamos la otra pierna acercando el talón al glúteo.

3. PASO CRUZADO
Volvemos a abrir la pierna líder.

2. PASO CRUZADO
Apoyo de la otra pierna atrás flexionando la pierna anterior para facilitar el movimiento.

1. PASO CRUZADO
Señalización no verbal de paso cruzado. Abrimos la pierna líder hacia la dirección deseada.

7. FEMORAL SIMPLE
Apoyamos la pierna líder abriéndola ligeramente a un lado.

6. FEMORAL DOBLE
Flexionamos la otra pierna, acercamos el talón a las nalgas.

5. FEMORAL SIMPLE
Apoyamos la otra pierna líder abriéndola ligeramente a un lado y trasladamos nuestro peso corporal hacia dicha pierna.

14

14. PASO CRUZADO
Elevamos la otra
pierna acercando el
talón al glúteo.

13

**13. PASO
CRUZADO**
Volvemos a abrir
la pierna líder.

**12. PASO
CRUZADO**
Apoyo de la otra
pierna atrás
flexionando la
pierna anterior
para facilitar el
movimiento.

12

**8. FEMORAL
DOBLE**
Flexionamos la
otra pierna con el
talón a las nalgas.

9. FEMORAL DOBLE
Apoyamos la pierna líder
abriéndola ligeramente a
un lado.

8

9

11

**11. PASO
CRUZADO**
Abrimos la pierna
líder hacia la
dicrección deseada.

10

10. FEMORAL DOBLE
Flexionamos la otra pierna con el
talón a las nalgas.

En estos dos últimos ejemplos sí percibiremos más la sensación de que vamos fuera de música, ya que no entramos en frase hasta el tiempo 16. Cuanto más tardemos en entrar en frase, mayor será esa sensación.

A = (10 t) CHASSÉ 2 t + 3 MAMBITOS 8 t + GIRO 2 t
B = (8 t) 2* SUPERMÁN 4 t + MAMBO ATRÁS 4 t
C + D = (14 t) MAMBO ATRÁS 4 t + MAMBO ADELANTE 4 t
+ 3* FEMORAL ALTERNO GIRO 6 t

■ Variación de forma = mambo delante +
mambo atrás + 3* femorales simples

3. Pisamos con dicha pierna ligeramente hacia delante.

4. Abrimos la pierna ligeramente a un lado.

1. Abrimos la pierna derecha ligeramente a un lado.

2. Trasladamos nuestro peso corporal a dicha pierna y elevamos la otra.

6. Pisamos con la pierna líder ligeramente atrás.

5. Trasladamos nuestro peso corporal a dicha pierna, elevamos la pierna líder.

■ Variación de giro = mambo delante + mambo atrás + giros femorales simples

Señalización no verbal
de giros femorales
alternos.

PRIMER FEMORAL

1

PRIMER FEMORAL

2

3

SEGUNDO FEMORAL

SEGUNDO FEMORAL

4

6

TERCER FEMORAL

5 TERCER FEMORAL

En esta ocasión no entramos en frase hasta el final del bloque o cuenta de 32 t.

Un bloque consta de 32 tiempos, si vamos en frase, cada movimiento estará formado por 8 tiempos que son los tiempos de los que está formada una frase musical. Como vemos, en este último ejemplo no todos nuestros movimientos están formados por 8 tiempos regularmente. Nuestro primer movimiento A tiene 10 tiempos, por lo que no estaremos en frase, nos encontraremos en frase cruzada. B sí tiene 8 tiempos, pero al sumarlo con A, juntos forman 18 tiempos, por lo que seguiremos fuera de música o iremos en frase cruzada. El resto de los tiempos que nos faltan para completar nuestro bloque y sumar los 32 tiempos correspondientes los completaremos con la combinación de C + D que hacen un total de 14 tiempos. Es decir, hasta que no sumamos los últimos 14 tiempos –que tampoco son una cuenta habitual– no entramos en frase o en música.

Requisitos de efectividad y duración

Para que nuestra sección cardiovascular o segunda fase de la práctica aeróbica sea efectiva o correcta deberemos tener en cuenta:

1.º 100% equilibrio: no solo en el producto final, sino también en las progresiones que ejecutamos para poder llegar a ese producto final.

2.º Producto final adaptado a nuestra destreza en la práctica aeróbica, a nuestro nivel coordinativo y cardiovascular en lo que a la práctica aeróbica se refiere, evitando cualquier posible frustración.

3.º Correcta utilización de las técnicas de enseñanza oportunas para el aprendizaje de este producto final. Teniendo en cuenta que gradualmente vamos de un producto más sencillo a uno más complejo para facilitar el proceso de aprendizaje.

4.º En caso de que queramos crear una coreografía, dedicaremos el 30% de nuestro tiempo a fijar el producto final y el otro 70% a desarrollar a las progresiones oportunas para poder llegar a este producto final.

5.º En caso de señalización verbal, calentaremos nuestra voz para que el tono que empleemos sea el apropiado y potente. No se trata de que gritemos, se trata de que hablemos en voz alta. Por ello nos centraremos en calentar los elementos de nuestro cuerpo que son los responsables de que emitamos la voz (labios, lengua, mejillas, boca, nariz...) en este calentamiento trataremos de mejorar nuestra calidad de voz, volumen, rapidez, pronunciación o dicción.

Existen diferentes tipos de ejercicios que nos pueden ayudar a calentar la voz:

• Recitar trabalenguas para adquirir mayor agilidad.
• Emitir sonidos en silencio como son la vocales, calentando nuestros músculos de la cara para mejorar nuestra pronunciación.
• Practicar la respiración diafragmática.

6.º   En caso de señalización no verbal, practicaremos nuestro lenguaje de signos y símbolos y la amplitud de la señalización de nuestros brazos.

7.º   El formato de la práctica aeróbica por lo general es de una hora, es decir 60 minutos por sesión. Estos 60 minutos los repartimos entre sus distintas fases. Ya hemos dicho anteriormente que con la fase del calentamiento venimos ocupando de 10 a 12 minutos para que este sea efectivo. Ahora bien, la segunda fase o sección cardiovascular viene a ocuparnos entre 40 y 45 minutos, dependiendo también del tiempo que empleemos en las otras dos fases.

Diferentes formas de práctica

Existen diferentes formatos de práctica aeróbica, todos ellos comprenden los 60 minutos que dedicamos a una sesión aeróbica, solo que los distribuidos de diferente manera:

1.   Formato normal: calentamiento de 10-15 minutos + fase cardiovascular de 40-45 minutos + cooldowns de seis-10 minutos
2.   Formato con tonificación: calentamiento de 10-12 minutos + fase cardiovascular de 40 minutos + cooldowns: tonificación 5 minutos + estiramientos 5 minutos.

Normalmente, en una sesión práctica de aeróbic nos da tiempo en una hora a crear tres bloques de 32 tiempos simétricos cada uno y luego cortarlos o unirlos de la siguiente manera:

32 t D 32 t I
32 t D 32 t I
32 t D 32 t I

LOS CORTAMOS

32 T D + 32 T I + 32 T D
32 T I + 32 T D + 32 T I

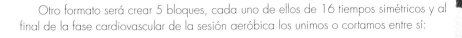

Otro formato será crear 5 bloques, cada uno de ellos de 16 tiempos simétricos y al final de la fase cardiovascular de la sesión aeróbica los unimos o cortamos entre sí:

16 t D 16 t I
16 t D 16 t I
16 t D 16 t I
16 t D 16 t I
16 t D 16 t I

LOS CORTAMOS

16 T D + 16 T I + 16 T D + 16 T I + 16 T D
16 T I + 16 T D + 16 T I + 16 T D + 16 T I

Consejos prácticos

Ropa

Siempre que queramos practicar cualquier tipo de actividad, en este caso aeróbica, deberemos utilizar indumentaria que favorezca la ejecución de los movimientos en la práctica de la actividad. Es decir, debemos utilizar ropa de deporte y no de calle.

No consiste en ir guapos, sino cómodos. Para ello utilizaremos el estilo que más nos favorezca dentro del ámbito deportivo (más ancho, más ajustado, más atlético, más informal) y que mejor se nos adapte, siempre con tejidos traspirables y elásticos que permitan la ejecución completa de los movimientos.

Ropa que no oprima y que se adapte.

Ropa interior

También de gran importancia dentro de la práctica aeróbica, tanto de hombres como de mujeres. Debemos utilizar ropa interior apta para la práctica deportiva. En el caso de las mujeres, se sujetará bien el pecho con ropa íntima específica, evitando que éste sufra y en consecuencia que también lo haga nuestra espalda. Esto nos permitirá practicar la actividad de forma segura y efectiva.

Calzado

Si la ropa es importante para la práctica de la actividad aeróbica, el calzado es obligatorio y fundamental en ella. Debemos utilizar un calzado específico para la práctica aeróbica, zapatillas de deporte que tendrán unas buenas cámaras de aire que absorban la tensión del impacto durante la práctica aeróbica, evitando así posibles lesiones. Recordemos que no es una cuestión estética, sino por nuestra salud y bienestar.

Calzado con cámaras de aire.

Buen estado físico

Si practicamos una actividad aeróbica, lo normal es cumplir con ciertos conceptos de la salud y el fitness, que nos permitan evolucionar correctamente durante la sesión. Beberemos agua para estar lo suficientemente hidratados, comeremos bien para estar correctamente nutridos y de esta manera evitaremos posibles mareos, o bajadas de tensión como respuesta al gran esfuerzo físico que estamos realizando, sobre todo en verano.

Motivación

Es muy importante que cuando nos dispongamos a realizar cualquier práctica deportiva mantengamos una gran dosis de motivación por diferentes
razones:

- Los comienzos de cualquier práctica deportiva son duros, ya que
requieren un gran esfuerzo y sacrificio por nuestra parte. Hasta que
nuestro cuerpo se adapte a las nuevas circunstancias y adquiera
una buena forma física, contaremos con la posible aparición de
agujetas, cansancio provocado por el sobreesfuerzo o sensación
de torpeza ante lo desconocido pudiendo llegar a la frustración.

- No todos los días nos encontramos igual, ni con el mismo estado anímico, ni con las mismas ganas de practicar deporte. Es por ello que
debemos ser positivos y combatir el cansancio y mal humor, para ser
constantes y no dejar de practicar la actividad.

Ambiente sano

Practicaremos la actividad en ambientes que no contengan humo ni gases que nos
puedan perjudicar, ya que con la práctica aeróbica nuestros pulmones se
abren y se vuelven más receptivos ante este tipo de circunstancias, como también sucede con nuestras cuerdas vocales.

Evitaremos tomar sustancias inhalantes antes y después de la práctica aeróbi-ca

Este tipo de sustancias nos secan las glándulas salivares y en consecuencia nuestra garganta.

Prestaremos mucha atención al comienzo del ejercicio

Debemos asegurarnos de tener un buen comienzo en la práctica aeróbica, que este suponga para nosotros una experiencia positiva, ya que crearemos una atmósfera adecuada para el desarrollo del resto de
la sesión, además de adquirir un buen estado físico que nos permita soportar el resto de la práctica evitando posibles lesiones.

COOLDOWN

Llamamos así a la última fase de la práctica aeróbica.

En esta fase tenemos dos funciones:

1. Debemos procurar que las funciones fisiológicas vuelvan a la normalidad (por ejemplo, la bajada de pulsaciones), haciendo que la sangre vuelva al corazón evitando así la formación de coágulos. Cuando practicamos una actividad aeróbica, la sangre es transportada a áreas por encima del corazón. Si esta no vuelve a la normalidad, corremos el riesgo de formación de coágulos.
2. Debemos restaurar el arco de movimiento y desarrollar la flexibilidad a través de los estiramientos.

¿Por qué estiramos?

1. Para mejorar el arco de movimiento o capacidad de movimiento de nuestras articulaciones.
2. Para aumentar la capacidad de absorción del impacto.
3. Para mejorar la postura o alineación corporal.
4. Para favorecer la eliminación de toxinas.
5. Porque con ello producimos un aumento en el fluido sanguíneo, por lo que prevenimos la aparición de agujetas.

Estiramientos

Existe una amplia gama de estiramientos y tendríamos que hacer otro libro para poder plasmarlos todos, pero sí vamos a centrarnos en los que más vamos a utilizar en la práctica aeróbica.

De pie

1 ESTIRAMIENTO DEL FLEXOR DE LA CADERA
Nos colocamos con una pierna flexionada y la otra estirada. Apoyamos una mano en la rodilla de la pierna flexionada y la otra en el suelo, eliminando así cualquier posible tensión innecesaria y aislando mejor el grupo muscular que en este momento estamos estirando.

Debemos cuidar que la rodilla de la pierna flexionada no pase por delante de la punta del pie, pues de lo contrario podríamos lesionarnos a nivel de la articulación de la rodilla.

De pie, miramos a un punto fijo, nos cogemos el pie de la pierna con la que vamos a realizar el estiramiento a la altura del empeine, y estiramos el flexor de la cadera ayudándonos a mantener el equilibrio con el otro brazo.

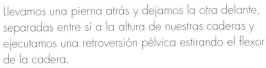

Llevamos una pierna atrás y dejamos la otra delante, separadas entre sí a la altura de nuestras caderas y ejecutamos una retroversión pélvica estirando el flexor de la cadera.

2 ESTIRAMIENTO LUMBAR

Apoyamos ambas manos sobre las rodillas y bombeamos la espalda como si quisiéramos pegarla al techo. Nos podemos imaginar a un gato cuando se enfada para poder ejecutar con más facilidad el estiramiento.

VISTA DE FRENTE

VISTA DE PERFIL

3 ESTIRAMIENTOS DE LOS GEMELOS

Llevamos una pierna atrás y dejamos la otra delante, separadas entre sí a la altura de nuestras caderas. Apoyamos el talón de la pierna de atrás y estiramos el gemelo de dicha pierna.

4 ESTIRAMIENTOS FEMORAL

Apoyamos el talón de la pierna que queramos estirar delante con la punta del pie hacia arriba y flexionamos la otra rodilla. Inclinamos el tronco hacia delante y nos cogemos con una mano la punta del pie hacia el pecho, aumentando la intensidad del estiramiento.

5 ESTIRAMIENTO PECTORAL

Juntamos las escápulas y nos cogemos las manos por detrás a la altura de las caderas.

Abrimos los brazos y juntamos las escápulas por detrás estirando el pectoral.

6 ESTIRAMIENTO DE LOS ADUCTORES

Separamos ambas piernas y flexionamos una rodilla apoyando nuestras manos sobre ella, estiramos la otra pierna con la punta del pie hacia arriba e inclinamos el tronco ligeramente hacia delante, estirando así el aductor de la pierna que estiramos.

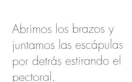

Hacemos más intenso aún el estiramiento bajando hasta el suelo. Apoyamos la mano del lado de la pierna que estamos estirando en el suelo, eliminando así cualquier posible tensión en la rodilla.

Abrimos las piernas, flexionamos ambas rodillas y empujamos con los codos las rodillas hacia atrás intensificando así los estiramientos de aductores.

7 ESTIRAMIENTO DE LA PARTE SUPERIOR DE LA ESPALDA
Entrecruzamos los dedos o nos abrazamos y bombeamos la parte superior de la espalda.

8 ESTIRAMIENTO DE LA CADERA
Con las piernas estiradas, flexionamos la pierna que queremos estirar y la cruzamos, situamos el tobillo al lado exterior de la rodilla de la otra pierna. Nos cogemos la pierna con el brazo contrario y giramos ligeramente el tronco al lado de la cadera o pierna que estamos estirando, llevándonos la pierna hacia el pecho.

9 ESTIRAMIENTO DEL CUELLO
Apoyamos ambas manos en la nuca, cerramos
los codos y dejamos caer el peso de nuestros
brazos sobre la cabeza, estirando toda la zona
cervical o posterior de nuestro cuello.

Con la mano contraria al lado del cuello que
queremos estirar, apoyamos la mano sobre la oreja
y empujamos levemente hacia el lado contrario
estirando un lado del cuello.

En el suelo y tumbados

1 ESTIRAMIENTOS DEL BÍCEPS FEMORAL

Nos tumbamos boca arriba, con ambas piernas estiradas. Elevamos
una pierna con la rodilla estirada, situamos ambas manos a los lados
de la pantorrilla o tobillo y nos acercamos lentamente la pierna a la
cara estirando la parte posterior de nuestra pierna.

2 ESTIRAMIENTO DEL GLÚTEO
Apoyamos el talón de la pierna que queremos
estirar sobre la rodilla de la otra pierna
flexionada. Con ayuda de nuestras manos, nos
aproximamos la pierna flexionada hacia el pecho
y estiramos el glúteo.

3 ESTIRAMIENTO DE LA CADERA
Nos tumbamos boca arriba, flexionamos la rodilla de la
pierna que vamos a estirar y la pasamos por delante de la
otra pierna ayudándonos con la mano contraria a la pierna.
Tendremos cuidado de dejar bien apoyada la parte superior
del tronco en el suelo al
ejecutar dicho
estiramiento.

4 ESTIRAMIENTO DEL FLEXOR DE LA CADERA O CUÁDRICEPS
Nos tumbamos de perfil con la espalda recta y el cuello alineado con la espalda.
Con la misma mano de la pierna que queremos estirar, nos cogemos el pie a la altura
del empeine y nos acercamos el talón al glúteo estirando la parte anterior de nuestra
pierna.

5 ESTIRAMIENTO LUMBAR
Flexionamos ambas piernas y nos
aproximamos las rodillas al pecho.

6 ESTIRAMIENTO DE LOS ADUCTORES
Abrimos ambas piernas estiradas hasta
donde podamos e
inclinamos el tronco
hacia delante.

7 ESTIRAMIENTO DEL GEMELO

Estiramos ambas piernas y apoyamos el talón de la pierna que queramos estirar sobre la punta del otro pie. Inclinamos ligeramente el tronco hacia la pierna que estamos estirando y, con ambas manos, nos cogemos la punta del pie de dicha pierna, aumentando así la intensidad del estiramiento.

8 ESTIRAMIENTO DEL GLÚTEO

Apoyamos el tobillo de la pierna que vamos a estirar sobre la rodilla de la otra pierna, flexionamos la rodilla de la otra pierna y la aproximamos hacia el pecho. De esta manera también aproximamos el tobillo empujado por la rodilla de la otra pierna hacia el pecho, procurando así el estiramiento del glúteo del lado correspondiente.

9 ESTIRAMIENTO DEL BÍCEPS FEMORAL

Estiramos la pierna que vamos a estirar con la punta del pie hacia arriba y flexionamos la otra bien en posición de Buda sentado o bien hacia atrás. Inclinamos el tronco ligeramente hacia delante, aproximándonos a la pierna estirada y nos cogemos la parte superior del pie de dicha pierna, haciendo más intenso el estiramiento de la parte posterior de nuestra pierna o bíceps femoral.

Tejidos involucrados

Cuando estiramos o practicamos la flexibilidad involucramos tres tipos de tejidos, que son:

- Músculos: nuestros músculos pueden llegar a aumentar el 50% de su tamaño en reposo cuando practicamos un estiramiento. No podemos estirar y aumentar el tamaño de los mismos mediante impulsos nerviosos que contraigan el tamaño del músculo o músculos en cuestión sino que aplicaremos una fuerza externa, provocando este estiramiento y en consecuencia, su correspondiente cambio de tamaño.

No podremos aumentar la longitud de nuestros músculos mediante impulsos nerviosos, ya que nuestros músculos reaccionan de la siguiente manera al experimentar un cambio de tamaño: cuando nuestros músculos experimentan un cambio de tamaño, reaccionan contrayéndose y protegiéndose de un

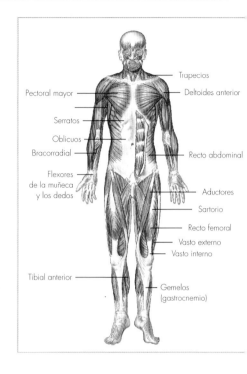

posible sobreestiramiento o de lesiones asociadas al mismo. A esta primera reacción la conocemos con el nombre de estiramiento reflejo. Pasados unos diez segundos, nuestros músculos, para evitar cualquier rotura o contractura ante tal tensión, se relajan y ceden, de manera que podremos avanzar en el estiramiento un poquito más, practicando así la flexibilidad.

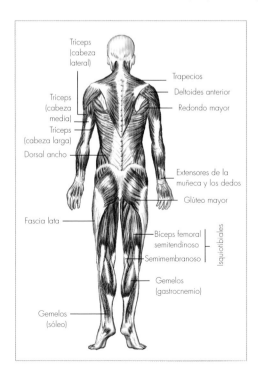

- Tejido conjuntivo o faja: es la sustancia que recubre nuestros músculos y el manojo de fibras musculares. La faja tiene propiedades visco-elásticas; es decir, su parte viscosa es parecida a la plastilina, si la estiramos no vuelve a su forma inicial. Por el contrario la parte elástica es como una banda que si la estiramos y soltamos, vuelve a su longitud inicial.

- Otros tejidos: existen otros tejidos en nuestro cuerpo involucrados cuando practicamos estiramientos, estos son los ligamentos y tendones, que solo podremos estirar bajo condiciones médicas. Los ligamentos son aquellos que vinculan los huesos entre sí y son los responsables del movimiento articular. Estas estructuras tienen muy poco componente elástico; es decir, si las estiramos no volverán a su longitud normal, por lo que solo los estiraremos bajo la supervisión de un especialista o bajo prescripción médica para evitar el sobreestiramiento.

Partes o fases del *cooldown*

1.ª   Recuperación

Esta fase viene tras el acondicionamiento cardiovascular, por lo que tendremos que ir disminuyendo la intensidad poco a poco, recuperando nuestras funciones fisiológicas a la normalidad. Bajaremos la intensidad hasta el punto de trabajar solo ejercicios de relajación y flexibilidad. Para ello practicaremos movimientos parecidos a los empleados en el calentamiento o movimientos aislados que nos ayuden a recuperar nuestro estado normal.

Para recuperarnos, podemos utilizar los movimientos dinámicos que utilizamos en el calentamiento de la práctica aeróbica (básicos y sin impacto) bajando así nuestras pulsaciones y devolviéndolas a la normalidad. Por ejemplo:

4* BALANCEOS + 4*STEP TOUCH + 2* PASOS CRUZADOS + 1,1,2 FEMORAL D, I

BALANCEO

STEP TOUCH

FEMORAL

Para esta fase de recuperación podremos utilizar la misma música de la fase cardiovascular o acondicionamiento, pero con la velocidad musical más lenta, como la utilizada en el calentamiento; es decir, de 130 a 138 BPM inclinándonos más hacia los 138 BPM, pues es una fase de recuperación que continúa a la anterior y de esta manera la bajada de pulsaciones y recuperación será más progresiva.

2.ª   Flexibilidad

Trabajo fundamental que realizaremos al final de la sesión aeróbica. En ella involucraremos aquellos grupos musculares que hayan tenido más importancia durante la práctica aeróbica, o lo que es lo mismo, aquellos que hayan soportado mayor tensión. Estos grupos musculares a los que nos referimos serán los mismos a los que dimos un tratamiento especial en la parte de la movilidad de nuestro calentamiento, es decir:

BÍCEPS FEMORAL
GEMELOS
FLEXOR DE LA CADERA
LUMBARES

Además podemos añadir otros, como son:

TIBIALES
GLÚTEOS
ADUCTORES
CUÁDRICEPS

Estiramiento de
bíceps femoral.

La flexibilidad es una cualidad que varía mucho de unas personas a otras. Aunque no es necesaria una flexibilidad excesiva, sí es recomendable un mínimo imprescindible para que podamos afrontar la vida diaria.

3.ª   Relajación

En el *cooldown* o última fase de la práctica aeróbica no solo nos relajaremos físicamente, sino también mentalmente.

Para que experimentemos de mejor manera tal relajación, propiciaremos o crearemos el ambiente necesario para ello, con diferentes factores, como la música relajante y la luz tenue.

Requisitos de efectividad y duración

Para que nuestro *cooldown* sea efectivo, tendremos en cuenta las siguientes consideraciones:

Estiramiento flexor
de la cadera.

1.   Guardaremos por seguridad el mínimo de estiramientos. Es decir, para que nuestro *cooldown* sea correcto, deberemos estirar mínimamente los grupos mus-

culares que han soportado mayor peso corporal durante la práctica aeróbica que son:

GEMELOS
BÍCEPS FEMORAL
LUMBAR
FLEXOR DE LA CADERA

2. El *cooldown* deberá ocupar el 10% de la práctica aeróbica; es decir, de 6 a 10 minutos.

3. El tiempo que mantendremos un estiramiento para así poder practicar la flexibilidad será de 10 a 15 segundos, que es el tiempo que necesitamos para que se produzca el estiramiento reflejo inverso.

4. Crearemos una atmósfera adecuada que nos invite a cumplir con todas las fases del *cooldown*, en concreto con la relajación. Para ello utilizaremos, música suave, baja y lenta, luz suave, aire acondicionado bajo y todo aquello que nos ayude a concentrarnos en nosotros mismos.

Cada estiramiento lo mantendremos más de 10 segundos.

5. No cargaremos peso sobre los músculos que estamos estirando, ya que tenemos que procurar que se relajen para así poder avanzar en los estiramientos y no que se contraigan.

6. Debemos practicar los estiramientos con toda la seguridad posible, tanto en lo que se refiere a la técnica de ejecución de los estiramientos como a la atmósfera que nos rodee.

7. Podremos practicar estiramientos o *cooldowns* de pie, sentados y tumbados, pero debemos saber que los estiramientos en el suelo; es decir, tumbados, son los que nos proporcionan mejores resultados.

Debemos practicar los estiramientos con seguridad, trabajando sobre todos los grupos musculares que han intervenido.

COREOGRAFÍA
FINAL

CUENTAS	PIERNA LÍDER	TREN INFERIOR	DESPLAZAMIENTO	DIRECCIÓN	TREN SUPERIOR
4	D	2* STOP	Lateral D	Lado D	Naturales
4	D	Mariposa	Lateral D	Lado D	Mariposa
6	D	Rodilla Twist	Frontal	FDD	Arriba naturales
2	I	2 + marchas	En el sitio	Hacia delante	
ÍDEM* 32 I					

1   7 RODILLAS D, I

1. Señalización no verbal: ¿qué? siete rodillas. Abrimos la pierna líder ligeramente hacia un lado.

2. Trasladamos el peso corporal a la misma y flexionamos la otra pierna acercando por atrás el empeine del pie de dicha pierna a la rodilla de la pierna líder.

3. Tocamos con la pierna que hemos flexionado ligeramente hacia atrás.

4. Y además la elevamos repitiendo el paso de la segunda foto. Así, repetimos cinco veces más completando las siete rodillas.

2

2 STOP D, I + 5 RODILLAS D

2. Tiempo 3,4 stop
Cruzamos la pierna
por delante.

3. Adelantamos el
brazo

1. Tiempo 1,2 STOP
Abrimos la pierna líder.

4. CINCO RODILLAS. Ídem
pasos anteriores.

* 5 VECES SEGUIDAS

3 2 STOP D, I + 4 MARCHAS + 3 RODILLAS D

4* MARCHAS

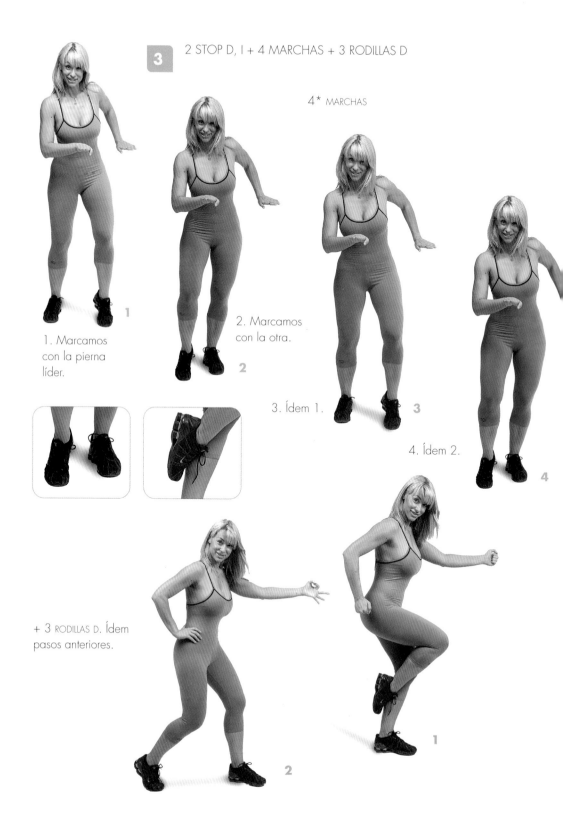

1. Marcamos con la pierna líder.

2. Marcamos con la otra.

3. Ídem 1.

4. Ídem 2.

+ 3 RODILLAS D. Ídem pasos anteriores.

4 2 STOP D, I + PISO DELANTE, PISO ATRÁS + 3 RODILLAS D

1

2

3

4

1. PISO DELANTE
Abrimos la pierna líder.

2. PISO DELANTE
Cerramos la otra pierna por delante.

3. PISO ATRÁS
Abrimos de nuevo la pierna líder.

4. PISO ATRÁS
Cruzamos por detrás la otra pierna.

5 2 STOP D, I + MARIPOSA + 3 RODILLAS D

Este ejercicio es idéntico al que hemos realizado anteriormente, solamente variamos la posición de los brazos (en mariposa) durante todo el ejercicio y saltamos en el paso 1 y 3.

MARIPOSA

SALTO

6 2 STOP D, I + MARIPOSA + RODILLA, TALÓN, RODILLA + 4 MARCHAS

3. Apoyamos el talón de dicha pierna en el suelo.

1. Apoyamos la pierna líder.

2. Elevamos la pierna flexionándola y acercamos la rodilla al pecho.

4. Volvemos a elevar la pierna como en la segunda foto.

5 y 6. Nos preparamos para ejecutar la rodilla del siguiente movimiento.

7 2 STOP D, I + MARIPOSA D + RODILLA HOP, TWIST, RODILLA HOP + 2 MARCHAS

RODILLA HOP. Apoyamos el peso de nuevo sobre la pierna líder y elevamos la otra pierna, flexionándola y acercando el pie a la altura de la rodilla de la pierna líder.

RODILLA HOP

TWIST. Apoyamos la pierna que hemos elevado en el suelo y movemos los talones hacia dentro alternativamente.

2 MARCHAS

«STEP», CLASIFICACIÓN
DE LOS MOVIMIENTOS

Al igual que en aeróbic, para agrupar correctamente los movimientos de step haremos una doble clasificación, pero podremos observar que entre el step y aeróbic existen ciertas diferencias que hay que puntualizar para tener los conceptos claros.

PRIMERA CLASIFICACIÓN

La primera clasificación se refiere a la dificultad que pueden contener los movimientos en sí a la hora de poder realizarlos, lo que está directamente ligado con nuestra habilidad coordinativa. Pero he aquí la primera diferencia a puntualizar entre la práctica de aeróbic y step: mientras que en aeróbic los movimientos los realizamos todos desde el suelo al propio suelo, en step vamos a utilizar la plataforma o step, que es un rectángulo al que subiremos y bajaremos como si de un escalón se tratase.

No vamos a realizar todos los movimientos a la altura del suelo, indistintamente los podremos realizar desde el suelo al step o desde el step al suelo y siempre tomando como punto de referencia dicha plataforma. En definitiva: para la práctica de step utilizamos la plataforma a la que subiremos y bajaremos como si de un escalón se tratase, entrenando nuestro rango cardiovascular y obteniendo los beneficios que esto conlleva.

Movimientos básicos o de fácil ejecución

Son los movimientos en los que no necesitamos un desarrollo excesivo de nuestra coordinación ni haberlos practicado con anterioridad para poder realizarlos. Pero sí tenemos que tener en cuenta ciertas «medidas de seguridad» para poder practicar el step, sobre todo en el caso de que seamos principiantes en la práctica de la actividad. Tendremos en cuenta cómo debemos subir y bajar de la plataforma correctamente para no lesionarnos, la distancia que debemos respetar respecto de la misma para la correcta realización de los movimientos…

Medidas de seguridad

Deberemos tener en cuenta tanto antes de la práctica, como durante la misma, y tanto en el caso de que seamos principiantes en la práctica de step, como si no, las indicaciones, velando así por nuestra seguridad.

1 PISAR SOBRE LA PLATAFORMA

A medida que avanza el ejercicio, sacamos cada vez más los pies de la plataforma. Los talones no deben sobresalir. Los varones, al tener los pies más grandes, deben tener más cuidado.

Al subir, debemos dejar descansar todo el pie sobre la plataforma sin dejar que los talones sobresalgan.

FORMA INCORRECTA

FORMA CORRECTA

2 DISTANCIA DE LA PLATAFORMA

Bajamos cerca de la plataforma, ya que de lo contrario nos será más difícil poder realizar los movimientos con naturalidad, apoyando mal nuestros pies y en consecuencia pudiendo lesionarnos con tendinitis en el talón de Aquiles o sufrir dolor en los gemelos o en las pantorrillas.

Bajada correcta de la plataforma a una distancia correcta.

Bajada incorrecta, con los pies demasiado lejos de la plataforma.

3 SUBIDA TALÓN - DEDOS

Subimos a la plataforma con suavidad y no con brusquedad; es decir, el talón será lo primero que entre en contacto con la plataforma seguido del resto del pie hasta los dedos (como cuando caminamos) y no de manera brusca dejando caer todo el pie.

4 BAJADA DEDOS - TALÓN
Descendemos de la plataforma igualmente con suavidad, pero el juego del pie será contrario al anterior; es decir, apoyamos primero la parte anterior del pie, empezando por los dedos en el suelo.

Luego progresivamente dejamos descansar el resto del pie terminando por el talón.

5 ALINEACIÓN CORPORAL CORRECTA
Debemos tener nuestra espalda recta con los abdominales contraídos, los hombros hacia atrás y relajados y la cabeza y el cuello en línea recta con la espalda; es decir, sin mirar hacia abajo al realizar los movimientos y sin una excesiva flexión de la cadera en las elevaciones.

Posición incorrecta con una excesiva flexión de cadera en las elevaciones y mirada baja.

Posición correcta: la cabeza y cuello en línea recta con la espalda. La mirada recta al realizar los movimientos.

OTROS CONSEJOS DE SEGURIDAD

- En caso de necesitar cualquier equipamiento adicional para la práctica de step, como mancuernas, toallas o bebidas, siempre que podamos lo guardaremos debajo de la plataforma o lo retiraremos fuera de nuestro alcance evitando así el poder tropezarnos.

  - Utilizaremos ambas piernas por igual a lo largo de toda la sesión de step para lograr el 100% de equilibrio tanto en el producto final como en las progresiones que utilizamos para poder llegar a él.

  - No utilizaremos los brazos en caso de que interfieran en el aprendizaje de las piernas. Es decir, la importancia la tiene el tren inferior, los brazos los utilizaremos como complemento. En la práctica de step los patrones de pierna son el factor más importante para asegurarnos de que nos beneficiamos del trabajo cardiovascular del step.

  - No debemos doblar las rodillas más de 90°.

  - Respetaremos la velocidad musical recomendada durante toda la práctica de step (128-132 bpm) para asegurarnos la seguridad y efectividad de la actividad.

    - Podremos variar la altura del step aumentando o disminuyendo su intensidad, pero siempre guardando unas pautas de seguridad; es decir, que dicha altura no nos perjudique a la hora de practicar la actividad con absoluta seguridad. La altura de los steps la podremos variar con las bases que soportan la plataforma, aumentando o disminuyendo la cantidad de las mismas.

Movimientos contraindicados

1 SUBIR HACIA ATRÁS
No subiremos a la plataforma de espaldas; es decir, no subiremos a ciegas al step, ya que esto será potencialmente inseguro para nosotros porque nos podemos caer o tropezar.

2 MOVIMIENTOS DE GIRO SOBRECARGANDO LAS ARTICULACIONES DE LAS RODILLAS

Una articulación sobrecargada es aquella que soporta todo el peso. Cuando estamos de pie sobre una pierna, nuestra rodilla está considerablemente sobrecargada, por lo que si giramos sobre esta correremos un gran riesgo de lesión.

Al ejecutar giros, elevaremos el talón descargando la pierna y llevando todo el peso a la planta del pie contrario, lo que nos permitirá girar con facilidad sobre el step.

No debemos realizar giros cuando nuestra rodilla soporte peso.

FORMA INCORRECTA

3 DESCENDER HACIA DELANTE

Evitaremos en la medida de lo posible descender por el frente o parte delantera del step. Cuando descendemos repetidamente por el frente podemos aumentar el riesgo de lesión de nuestra rodilla.

4 SALTAR FUERA DEL STEP, DESDE EL STEP

Este tipo de entrenamiento pliométrico desde altura, está incluido dentro del entrenamiento de ciertos deportistas de élite, pero no está indicado para nuestro entreno habitual, ya que cuando lo practicamos existe un gran riesgo de lesión en los pies, las rodillas, lumbares, etc.

5 NO CRUZAR LOS PIES POR ENCIMA DE LA PLATAFORMA
No cruzaremos los pies cuando nos desplacemos por encima o atravesemos la plataforma, pues aumentaremos el riesgo de poder tropezarnos.

Movimientos intermedios y avanzados

Los obtendremos de la suma de un movimiento básico más una variación. Al igual que en la práctica aeróbica, obtendremos los movimientos básicos a los que vamos añadiendo los llamados «elementos de variación» para incrementar la intensidad coreográfica del movimiento progresivamente.

Necesitamos por nuestra parte mayor capacidad coordinativa para poder realizarlos, lo que no quiere decir que nos provoquen frustración, ya que la intensidad coreográfica de los movimientos básicos la iremos incrementando poco a poco de forma lógica y fluida, facilitando su aprendizaje y su práctica.

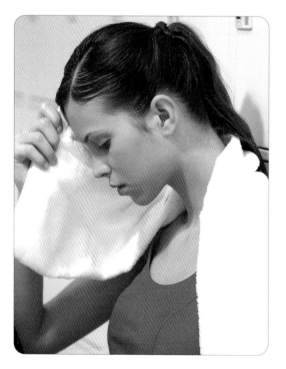

Segunda clasificación

Ahora clasificaremos los movimientos según cambiemos o no de pierna líder a la hora de realizarlos, es decir:

Pierna líder

En step nuestra pierna líder se refiere al primer pie que situamos sobre la plataforma. Hay movimientos que no cambian de pierna líder, pues siempre los ejecutamos con la misma pierna y otros que sí cambian de pierna líder, pues los iniciamos con una pierna líder, sea la derecha o la izquierda, y los siguientes o el siguiente los iniciamos con la pierna contraria.

La intensidad coreográfica se irá incrementando progresivamente, sin crear frustración.

Teniendo claro los movimientos que cambian de pierna líder y los que no, obtendremos el 100% de equilibrio en nuestra práctica de step, y solo será cuestión de combinarlos de forma correcta.

Bajo y alto impacto

Los movimientos de bajo impacto se producen cuando al menos uno de nuestros pies permanece en contacto con el suelo o la plataforma la gran mayoría del tiempo.

Por su parte, los de alto impacto suceden cuando ambos pies, no permanecen en contacto con el suelo, aunque sea durante muy poco tiempo.

La pierna líder en step es la primera que situamos sobre la plataforma.

TIPOS DE MOVIMIENTOS

MOVIMIENTOS BÁSICOS DE BAJO IMPACTO QUE NO CAMBIAN DE PIERNA LÍDER

Los iniciamos siempre con la misma pierna desde la parte de atrás del step

1 PASO BÁSICO

1. Apoyamos nuestra pierna líder sobre la plataforma del step.

1

2

2. Apoyamos o subimos sobre la plataforma la otra pierna.

3

3. Bajamos la pierna líder al suelo.

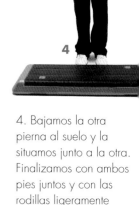

4

4. Bajamos la otra pierna al suelo y la situamos junto a la otra. Finalizamos con ambos pies juntos y con las rodillas ligeramente flexionadas.

MOVIMIENTOS ESPECIALES BÁSICOS DE BAJO IMPACTO QUE NO CAMBIAN DE PIERNA LÍDER

Son movimientos que obtendremos a partir de la suma de un movimiento básico más una variación y tienen nombre propio; es decir, que al oír su nombre en la práctica los ejecutaremos por defecto, pero debido a su fácil práctica y el mínimo grado de intensidad que presenta el elemento de variación que sumamos al paso básico, no se les considera movimientos de nivel intermedio o avanzado, incluso hay quienes los consideran movimientos básicos propiamente dichos sin añadirles ese carácter especial que nosotros les estamos dando.

2 UVE

Consiste en formar una uve sobre el step y es una variación del movimiento básico.

1. Apoyamos la pierna líder con el pie ligeramente abducido hacia fuera y con las rodillas ligeramente flexionadas sobre la plataforma.

1

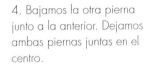

2

2. Apoyamos la otra pierna sobre el step, paralela a la anterior, también con el pie apuntando al frente diagonal izquierda.

3

3. Bajamos la pierna líder al suelo.

4

4. Bajamos la otra pierna junto a la anterior. Dejamos ambas piernas juntas en el centro.

3. Bajamos la pierna líder al suelo, hacia el centro, con cuarto de giro al otro lado.

3 REVERSE

Consiste en que ejecutemos una uve con un giro de 180° cuando subimos al step y otros 180° cuando bajamos.

1

2. Subimos la otra pierna a la plataforma, paralela a la anterior, giramos un cuarto de giro hacia atrás.

2

3

4

1. Apoyamos nuestra pierna líder sobre la plataforma y giramos un cuarto de giro al lado.

4 Bajamos la otra pierna y la situamos al lado de la anterior con otro cuarto de giro al frente, completando así los 360° de un giro completo.

4 OVER THE TOP

Consiste en que ejecutemos una uve con un giro de 180° cuando subimos al step y otros 180° cuando bajamos.

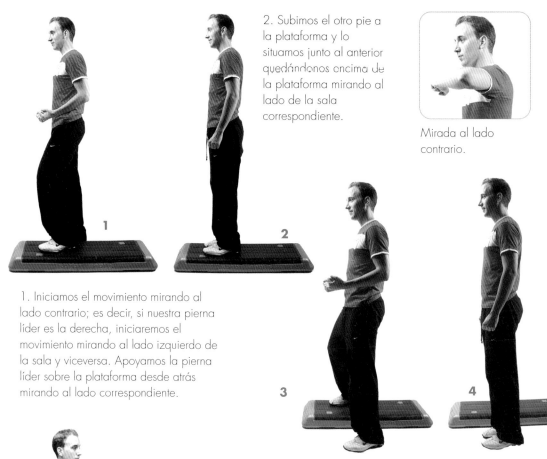

2. Subimos el otro pie a la plataforma y lo situamos junto al anterior quedándonos encima de la plataforma mirando al lado de la sala correspondiente.

Mirada al lado contrario.

1. Iniciamos el movimiento mirando al lado contrario; es decir, si nuestra pierna líder es la derecha, iniciaremos el movimiento mirando al lado izquierdo de la sala y viceversa. Apoyamos la pierna líder sobre la plataforma desde atrás mirando al lado correspondiente.

3. Bajamos el pie líder al suelo por delante de la plataforma y mantenemos nuestro cuerpo mirando hacia la misma dirección.

4. Bajamos el otro pie y lo situamos junto al anterior.

5 ACROSS THE TOP O DE EXTREMO A EXTREMO

Los extremos del step son las partes cortas del mismo.

1. Nos situamos a un extremo del step.

2. Apoyamos el pie líder sobre la plataforma desde atrás mirando al lado correspondiente.

2

3. Subimos el otro pie a la plataforma y lo situamos junto al anterior.

3

4. Bajamos el pie líder al suelo por delante de la plataforma y mantenemos nuestro cuerpo mirando hacia la misma dirección.

4

5. Bajamos el otro pie y lo situamos junto al anterior.

5

6 A CABALLO

Este movimiento lo podremos realizar bajando del step, desde arriba, a horcajadas, (o sea, con ambas piernas a ambos lados de la plataforma) o desde horcajadas a encima de la plataforma.

1. Desde encima de la plataforma a horcajadas: situados sobre la plataforma, con ambos pies juntos y mirando al lado de la sala que nos corresponda (en este caso el izquierdo, pues nuestra pierna líder es la derecha).

1

2. Bajamos el pie líder al suelo y lo situamos al lado de la plataforma correspondiente, iniciando así el caballo. El pie derecho quedará abajo en el lado derecho de la plataforma.

2

3. Abrimos la otra pierna situándola al otro lado del step a horcajadas. El pie izquierdo quedará abajo en el lado izquierdo de la plataforma.

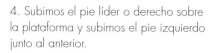

4. Subimos el pie líder o derecho sobre la plataforma y subimos el pie izquierdo junto al anterior.

MOVIMIENTOS BÁSICOS DE BAJO IMPACTO QUE NO CAMBIAN DE PIERNA LÍDER APLICADOS AL STEP DESDE EL AERÓBIC

1 MAMBO (PÁGINA 21)
Otra variación de la marcha, concretamente son cuatro marchas e igualmente la dirección será donde se mire.

Desde detrás del step, apoyamos la pierna líder sobre la plataforma, como si quisiéramos dar un paso, hacemos la marcha de la otra pierna, bajamos la pierna líder y pisamos atrás como si quisiéramos retroceder. Por último, hacemos la marcha de la otra pierna terminando el mambo.

MOVIMIENTOS BÁSICOS DE ALTO IMPACTO QUE NO CAMBIAN DE PIERNA LÍDER

No existen movimientos básicos de alto impacto en la práctica de step, el alto impacto o propulsión lo conseguiremos añadiendo a los movimientos básicos variaciones, de modo que modifiquen el impacto de los mismos. Por ejemplo, añadimos una carrera a un paso básico.

MOVIMIENTOS BÁSICOS DE BAJO IMPACTO QUE SÍ CAMBIAN DE PIERNA LÍDER

Iniciamos el movimiento con una pierna, que en este caso sería la pierna líder, y el siguiente con la otra.

Elevaciones

1 RODILLAS

1. Apoyamos el pie líder sobre la plataforma y llevamos todo nuestro peso corporal hacia esta pierna.

2. Elevamos la otra pierna.

3. Bajamos el pie líder al suelo. Bajamos el otro pie situándolo al lado del anterior.

2 FEMORALES

1. Apoyamos el pie líder sobre la plataforma y llevamos todo nuestro peso corporal hacia esta pierna.

2. Elevamos la otra pierna acercando al talón de dicha pierna al glúteo.

3. Bajamos el pie líder al suelo y bajamos el otro pie situándolo al lado del anterior.

3 PATADAS

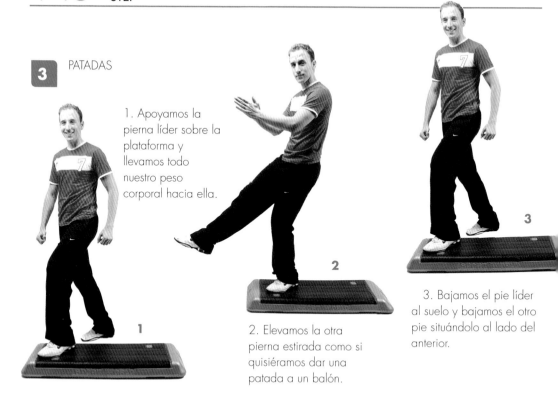

1. Apoyamos la pierna líder sobre la plataforma y llevamos todo nuestro peso corporal hacia ella.

2. Elevamos la otra pierna estirada como si quisiéramos dar una patada a un balón.

3. Bajamos el pie líder al suelo y bajamos el otro pie situándolo al lado del anterior.

4 REPEATER

Ejecutamos tres elevaciones, sean las que sean: (rodillas, femorales, etc.). Repetimos la fase del movimiento que no tiene peso; es decir, la pierna que se eleva. Nunca debemos ejecutar más de cinco elevaciones seguidas, pues la pierna que soporta el peso experimentaría demasiada tensión.

Ejemplo con las rodillas:

1. Apoyamos el pie líder sobre la plataforma y llevamos todo nuestro peso sobre esta pierna.

2. Tocamos ligeramente el suelo con la misma pierna cuidando de no apoyar todo el pie sobre el suelo, pues el peso corporal continúa sobre la pierna líder. Elevamos otra vez la pierna.

5 SIDE TO SIDE

1. Apoyamos el pie líder sobre la plataforma y llevamos todo nuestro peso sobre esta pierna.

2. Tocamos ligeramente la plataforma con el otro pie.

1

2

6 LUNGES (PÁGINA 17)

Toques que cambian de pierna líder. Los iniciamos desde encima de la plataforma, sobre el step. Tendremos que cuidar que al tocar el suelo, el toque sea ligero, al igual que el de las rodillas alternas; es decir, que no apoyaremos el talón sobre el suelo, solo tocaremos el suelo con la punta del pie, manteniendo el peso corporal sobre la pierna que está apoyada encima de la plataforma. Igualmente, tendremos cuidado al ejecutar dicho toque para no alejar la pierna excesivamente de la plataforma.

Desde encima de la plataforma con los pies juntos y las rodillas ligeramente flexionadas, tocamos con el pie líder el suelo sin apoyar el talón y devolvemos el pie líder a su posición inicial.

MOVIMIENTOS BÁSICOS DE ALTO IMPACTO QUE SÍ CAMBIAN DE PIERNA LÍDER

No existen movimientos básicos de alto impacto en la práctica de step, el alto impacto o propulsión lo conseguiremos añadiendo a los movimientos básicos variaciones, de modo que modifiquen el impacto de los mismos. Por ejemplo, añadimos a una elevación una propulsión.

MOVIMIENTOS ESPECIALES BÁSICOS DE BAJO IMPACTO QUE SÍ CAMBIAN DE PIERNA LÍDER

Estos ejercicios ya se han explicado con anterioridad. Son movimientos que obtenemos de la suma de un movimiento básico más una o varias variaciones y tienen nombre propio debido a su fácil práctica y el mínimo grado de intensidad que presenta el elemento de variación que sumamos al paso básico, por eso no se les considera movimientos de nivel intermedio o avanzado.

CHASSÉ
Variación de una rodilla alterna o variación de modo y ritmo.

TIEMPO 1: apoyamos el pie líder sobre la plataforma desde atrás en una de las esquinas del step y marchamos con la otra pierna en el suelo.
TIEMPO 2: pisamos con el pie la otra esquina de la plataforma.
TIEMPO 3: pisamos con el otro pie en el suelo.
TIEMPO 4: pisamos con el pie líder en el suelo recuperando el centro.

MOVIMIENTOS BÁSICOS DE BAJO IMPACTO QUE SÍ CAMBIAN DE PIERNA LÍDER APLICADOS AL STEP DESDE EL AERÓBIC

 MAMBO CHACHACHÁ
Añadimos variaciones de poca intensidad a un paso básico, que son de forma, modo o impacto (alto impacto) y otra de ritmo (acelera el tiempo de las carreras), es decir:

MAMBO: pisamos con el pie líder la plataforma, como si quisiéramos dar un paso y distribuimos nuestro peso corporal sobre la misma (tiempo 1) y sobre el suelo, dejándola atrás del step (tiempo 2).
CHACHACHÁ: en el tiempo 3 marchamos con el pie líder en el suelo la primera de tres pequeñas carreras o saltitos que terminarán el movimiento en sí, marchamos con la otra pierna (tiempo 4) y marchamos de nuevo con la pierna líder finalizando el movimiento.

MOVIMIENTOS INTERMEDIOS Y AVANZADOS CON LAS PIERNAS

Al igual que en la práctica aeróbica, los obtendremos a partir de los movimientos básicos a los que les vamos añadiendo los llamados «elementos de variación», bien sea en el tren inferior, como en el superior, incrementando la intensidad coreográfica del movimiento progresivamente.

 CAMBIOS DE RITMO (PÁGINA 33)
Se hacen en doble tiempo, medio tiempo y al tiempo («off beat») y son dos pasos básicos = cuatro stop.

Ralentizamos el ritmo del paso básico en el tiempo 1 y en el 2 apoyamos el pie líder sobre la plataforma. En el tiempo 3 y 4 apoyamos la otra pierna sobre la plataforma y en el tiempo 5 y 6 bajamos el pie líder en el suelo. En el tiempo 7 y 8 bajamos el otro pie al suelo junto al anterior.

 MODO O IMPACTO (PÁGINA 22)
Normalmente, nuestras variaciones consisten en añadir al movimiento de bajo impacto, uno de alto impacto, incrementando así su intensidad. Por ejemplo, un paso básico = cuatro carreras.

TIEMPO 1: subimos al step con el pie líder con una pequeña propulsión llevando todo nuestro peso corporal a esta pierna. La otra pierna la elevamos acercando el talón al glúteo. Iniciamos así la 1ª carrera.

TIEMPO 2: hacemos la 2.ª carrera con la otra pierna sobre la plataforma. Corremos sobre la plataforma trasladando el peso a la otra pierna.

TIEMPO 3: efectuamos la 3.ª carrera y bajamos de la plataforma al suelo con otra carrera o pequeña propulsión cambiando de nuevo el peso a esta pierna líder.

TIEMPO 4: hay otra carrera de nuevo con la otra pierna cambiando el peso de nuestro cuerpo sobre esta.

3 APROXIMACIÓN

Se trata de la relación corporal que tenemos con el step; es decir, desde dónde nos podemos acercar a él.

DESDE ATRÁS

DESDE DELANTE

DESDE ENCIMA

A HORCAJADAS

DESDE EL EXTREMO IZQUIERDO

DESDE EL EXTREMO DERECHO

4 ORIENTACIÓN

En este caso es la relación que tenemos con la sala: dónde o a qué parte de la sala miramos cuando ejecutamos el movimiento.

Al frente

Atrás

Al lado derecho

Al lado izquierdo

5 GIROS

También podemos añadir a nuestros movimientos básicos giros, incrementando así su intensidad.

6 VARIACIONES DE FORMA

Consisten en cambiar la forma del movimiento básico, cambiando su dibujo o forma de manera distinta a las variaciones mencionadas anteriormente.

1.º DOS RODILLAS: (movimiento básico) = 6 t.

2.º PRIMERA VARIACIÓN DE FORMA: En el tiempo 1 apoyamos el pie líder sobre la plataforma como si de una marcha se tratase. En el tiempo 2 (ON) marchamos con la otra pierna sobre el suelo. En el tiempo 3 (OFF) apoyamos el pie líder sobre la plataforma hasta llegar de nuevo a ON y en el tiempo 4 elevamos la otra pierna. En el tiempo 5 marchamos con este pie líder (OFF) y en el tiempo 6 marchamos sobre el suelo con el pie líder (OFF).

3.º VARIACIÓN DE APROXIMACIÓN: En el tiempo 1 (ON) colocamos el pie líder sobre la plataforma. En el tiempo 2 (OFF) pisamos con el otro pie sobre el suelo en el extremo izquierdo de la plataforma. En el tiempo 3 (ON) pisamos de nuevo con el pie líder desde el extremo izquierdo del step. En el tiempo 4 (ON) elevamos la otra pierna. En el tiempo 5 pisamos con esta misma pierna del tiempo anterior detrás del step y en el tiempo 6 pisamos con el pie líder sobre el suelo y lo situamos junto al otro.

4.º SEGUNDA VARIACIÓN DE FORMA: En el tiempo 1 (ON) pisamos con el pie líder sobre la plataforma, en el tiempo 2 (OFF) pisamos con el otro pie sobre el suelo en el extremo izquierdo de la plataforma. En el tiempo 3 (ON) elvis (página 42) con el pie líder en el extremo izquierdo del step. En el tiempo 4 (ON) pisamos con el pie líder sobre la plataforma desde el extremo izquierdo del step. En el tiempo 5 (OFF) pisamos con el otro pie sobre el suelo y en el tiempo 6 marchamos con el pie líder y lo situamos junto al otro.

MOVIMIENTOS INTERMEDIOS Y AVANZADOS CON LOS BRAZOS Y LAS MANOS

Brazos

Tenemos siempre que tener claro que en la practica de step, al igual que en la aeróbica, la importancia y prioridad la tiene nuestro tren inferior; es decir, las piernas. El tren superior (brazos) son un complemento más. Como ya hemos explicado anteriormente, los movimientos de brazos tienen como objetivo:

- Aumentar la frecuencia cardiaca.
- Entrenar la coordinación. Debemos tener mucho cuidado con las combinaciones de brazos, puesto que pueden resultar complicadas e incluso llegar a interrumpir el aprendizaje de las piernas comprometiendo el entrenamiento cardio-vascular.
- Entrenar la musculatura superior del cuerpo.

Los elementos de variación de brazos que podemos añadir a los movimientos básicos incrementando así su intensidad son los siguientes:

1 UNILATERAL, BILATERAL
Trabajamos con un brazo o con los dos.

2 PALANCA LARGA, PALANCA CORTA
Trabajamos con los brazos
completamente extendidos
o con extensión corta
(encogidos).

PALANCA LARGA   PALANCA CORTA

Manos

1 MANO CERRADA (PUÑO)
Trabajamos las manos con el puño
completamente cerrado.

PUÑO

2 MANO FLEXIONADA
En este ejercicio trabajamos las manos flexionándolas por la muñeca y con los dedos juntos.

3 MANO EXTENDIDA
Trabajamos este ejercicio con la mano completamente extendida.

4 MANO ABIERTA
En este caso el trabajo de las manos se realiza con las manos extendidas y los dedos abiertos.

5 BATIR PALMAS
En este ejercicio batimos palmas con las manos abiertas.

MOVIMIENTOS ESPECIALES INTERMEDIOS Y AVANZADOS APLICADOS AL STEP DESDE EL AERÓBIC

Box step o caja

1 PASO BÁSICO
(Movimiento básico.)

2 MAMBO

(Primera variación de forma.) Para cambiar la forma del movimiento básico, desde la posición neutra desde detrás del step, apoyamos la pierna líder sobre la plataforma, como si quisiéramos dar un paso, en el tiempo 1. En el tiempo 2, marchamos la otra pierna. En el tiempo 3, bajamos la pierna líder y pisamos el suelo detrás como si quisiéramos dar un paso hacia atrás y en el tiempo 4, por último, marchamos con la otra pierna terminando el mambo.

3 BOX STEP

Se trata de una variación de forma del mambo, con reaproximación y reorientación.

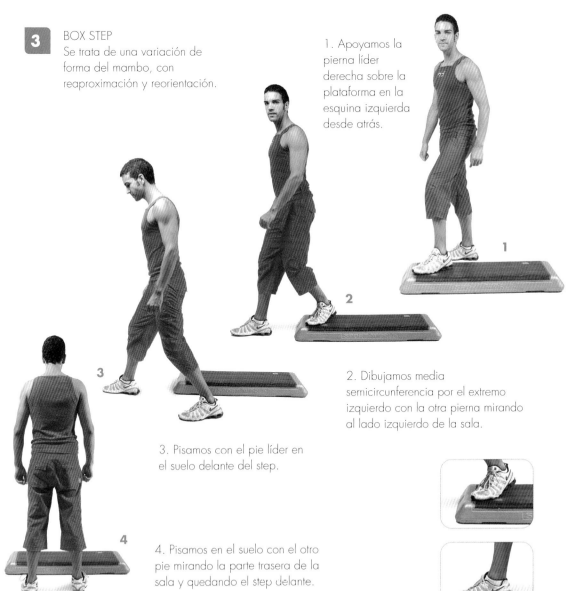

1. Apoyamos la pierna líder derecha sobre la plataforma en la esquina izquierda desde atrás.

2. Dibujamos media semicircunferencia por el extremo izquierdo con la otra pierna mirando al lado izquierdo de la sala.

3. Pisamos con el pie líder en el suelo delante del step.

4. Pisamos en el suelo con el otro pie mirando la parte trasera de la sala y quedando el step delante.

Stops

1 DOS PASOS BÁSICOS

2 CUATRO STOPS
Ralentizamos el ritmo del paso básico.

1. Apoyamos la otra pierna sobre la plataforma, bajamos el pie líder al suelo, bajamos el otro pie al suelo junto al anterior.

2. Apoyamos el pie líder sobre la plataforma.

Elvis

1 DOS RODILLAS
(movimiento básico) = 6 t.

2 PRIMERA VARIACIÓN DE FORMA

1. Apoyamos el pie líder sobre la plataforma como si de una marcha se tratase (ON).

2. Marchamos con la otra pierna sobre el suelo (OFF).

6. Marchamos sobre el suelo con el pie líder (OFF).

5. Marchamos con este pie líder (OFF).

6

5

4

4. Elevamos la otra pierna.

3

3. Apoyamos el pie líder sobre la plataforma de nuevo (ON).

3 VARIACIÓN DE APROXIMACIÓN
Repetición de la primera variación.

4 SEGUNDA VARIACIÓN DE FORMA

En el tiempo 1 (ON) colocamos el pie líder sobre la plataforma. En el tiempo 2 (OFF) pisamos con el otro pie sobre el suelo en el extremo izquierdo de la plataforma. En el tiempo 3 (ON), hacemos un elvis con el pie líder en el extremo izquierdo del step. En el tiempo 4 (ON) pisamos con el pie líder sobre la plataforma desde el extremo izquierdo del step. En el tiempo 5 (OFF) pisamos con el otro pie sobre el suelo, y en el tiempo 6 marchamos con el pie líder y lo situamos junto al otro.

Sky

1 SKY

El sky es un movimiento que solemos practicar junto a otros, bien sea intercalado o no, normalmente entre rodillas o mambos. Es por ello que en las progresiones que señalemos a continuación nos encontraremos otros movimientos. Ocupa en concreto dos tiempos y cambia de pierna líder, por lo tanto surgirá de un movimiento básico que por sí solo también cambie de pierna líder. Comenzamos con un mambo chachachá (movimiento básico).

2 MAMBO SKY
(Primera variación de forma: el chachachá pasa a ser un sky.)

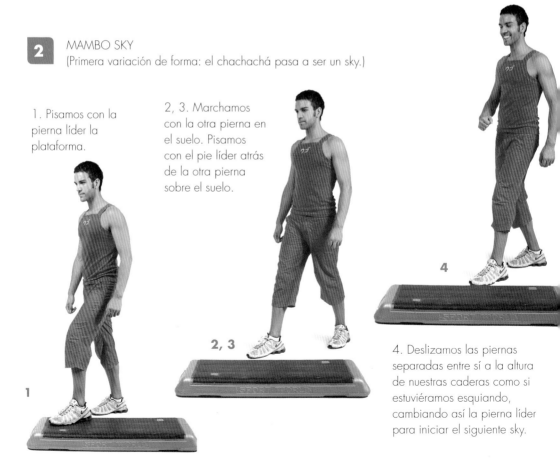

1. Pisamos con la pierna líder la plataforma.

2, 3. Marchamos con la otra pierna en el suelo. Pisamos con el pie líder atrás de la otra pierna sobre el suelo.

4. Deslizamos las piernas separadas entre sí a la altura de nuestras caderas como si estuviéramos esquiando, cambiando así la pierna líder para iniciar el siguiente sky.

Talón

1 DOS RODILLAS ALTERNAS
(Movimiento básico.)

2 TALÓN
(Primera variación de impacto y forma. A la primera rodilla, a la pierna líder le añadimos un pequeño saltito y la otra pierna la elevamos pasándola delante con talón.)

TIEMPO 1: apoyamos la pierna líder sobre la plataforma.
TIEMPO 2: elevamos la otra pierna a la vez que añadimos una pequeña propulsión a la pierna líder.
TIEMPO 3: tocamos con el talón de la otra pierna sobre la plataforma.
TIEMPO 4: elevamos esta pierna a la vez que añadimos una pequeña propulsión a la pierna líder.
TIEMPO 5: pisamos con la pierna que hemos elevado, en el tiempo anterior, sobre el suelo.
TIEMPO 6: pisamos con el pie líder junto al anterior.

Mambito

1 TRES MARCHAS
(Movimiento básico.)

2 MAMBITO O BABY MAMBO
(Primera variación de forma.)

TIEMPO 1: pisamos con la pierna líder sobre la plataforma.
TIEMPO 2: pisamos con la otra pierna sobre el suelo.
TIEMPO 3: volvemos a pisar con la pierna líder sobre el suelo.

Araña

1 DOBLE TOP

2 ARAÑA
(Variación de forma.)

1. Pisamos sobre la plataforma con el pie líder derecho desde atrás en la esquina izquierda de la plataforma.

1

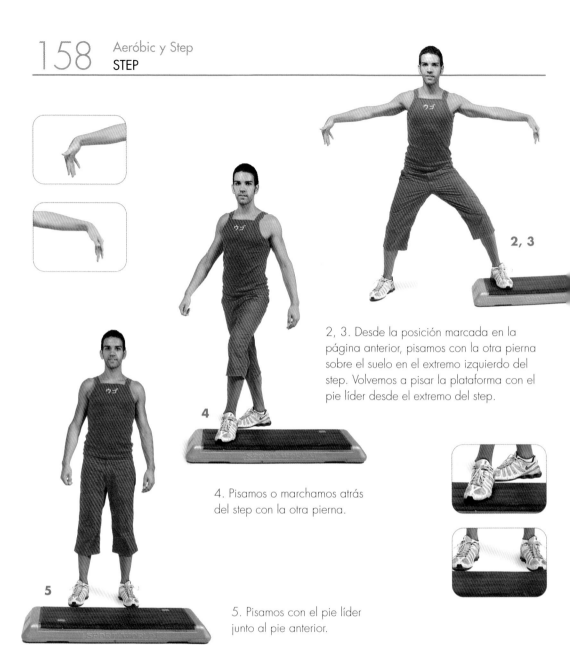

2, 3. Desde la posición marcada en la página anterior, pisamos con la otra pierna sobre el suelo en el extremo izquierdo del step. Volvemos a pisar la plataforma con el pie líder desde el extremo del step.

4. Pisamos o marchamos atrás del step con la otra pierna.

5. Pisamos con el pie líder junto al pie anterior.

MOVIMIENTOS ESPECIALES SIN NOMBRE

Existen también movimientos especiales que bautizaremos nosotros mismos; es decir, no cuentan con nombre propio en la práctica de step, y los obtendremos igualmente añadiendo a los movimientos básicos las respectivas variaciones.

Estos nombres no están tan generalizados, no todos los conoceremos como los anteriores, pero sí los crearemos a partir de la suma de un movimiento básico más una o varias variaciones. Cada individuo que practique step tendrá los suyos propios.

1 AVIONES
Variación de una elevación de femoral que consiste en que pasemos desde atrás del step a la parte de delante ejecutando dicho femoral.

1. Apoyamos la pierna líder sobre la plataforma en la parte de atrás.

2. Elevación del femoral con la otra pierna, acercando dicha pierna a las nalgas.

3. Pasamos con la pierna del femoral al otro lado del step; es decir, hacia delante.

4. Apoyamos la pierna líder junto a la anterior.

MONTAJE COREOGRÁFICO

Seguiremos las mismas directrices que en la práctica aeróbica, pero utilizando movimientos propios de la práctica de step.

Ejemplo de un montaje coreográfico para un nivel intermedio

Emplearemos movimientos básicos y aumentaremos su intensidad añadiéndoles los elementos de variación correspondientes. De esta manera los transformaremos en movimientos intermedios y avanzados.

Base
A = 4 RODILLAS = 10 t
B = 6 MARCHAS = 6 t
C = 2* ARAÑAS = 10 t
D = 2*MAMBITOS = 6 t

Producto final
2 SENTADILLAS EXTREMO STEP
2 MAMBITOS giro 180°
2 ARAÑAS GIRO
2 AVIONES

ELEMENTOS DE VARIACIÓN:

A = variación de forma, aproximación y orientación
B = variación de giro
C = variación de aproximación, giro y orientación
D = variación de aproximación y orientación

Escritura (producto final)

CUENTAS	PIERNA LÍDER	TREN INFERIOR	APROXIMACIÓN	ORIENTACIÓN
10	D	Rodilla + 2 sentadillas extremo step	Desde atrás a extremo I	Frente
6	I	2* mambitos giro	Desde atrás	Frente y contrario agujas reloj
10	I, D	2* arañas	Desde atrás a extremo D Desde atrás a extremo I	Frente agujas reloj
6	I	Aviones	Desde atrás	Lado I
ÍDEM* 32 I				

4. Sentadilla. Flexionamos ambas rodillas en forma de squat.

3. Elevamos la otra rodilla.

2. Apoyamos la pierna líder.

5. Estiramos. Hacemos una doble repetición de los movimientos cuatro y cinco.

1. Posición inicial o pies neutros.

7. Volvemos apoyando la pierna izquierda en el suelo.

6. Elevamos de nuevo la rodilla izquierda.

SEÑALIZACIÓN

SEÑALIZACIÓN VERBAL Y NO VERBAL

Como ya hemos explicado en aeróbic, la señalización es la herramienta de comunicación que utilizaremos en la práctica para conseguir que nuestro mensaje sea entendido. Al igual que en el aeróbic, en step existen dos tipos de señalización:

1. Verbal: es decir, ¿qué?, ¿dónde?, ¿cuándo?, y ¿cómo?
2. No verbal: que señalizamos con signos y símbolos que indicamos con brazos y manos.

Además, podemos contar con el lenguaje corporal, que es otro tipo de señalización no verbal. Dependiendo de una alineación corporal correcta o incorrecta podemos emitir mensajes diferentes. Por ejemplo, ante un estiramiento dinámico femoral:

¿Qué?

1 3 RODILLAS

2 RODILLAS ALTERNAS

La señalización en step es idéntica a la marcada para el aeróbic, podemos repasarla en profundidad en el capítulo tres de este libro.

¿Dónde?

1 LADO IZQUIERDO

2 LADO DERECHO

3 ADELANTE

4 ATRÁS

¿Cuándo?

1 CUÁNDO COMENZAMOS EL
MOVIMIENTO O CUENTA ATRÁS

1. Dedos en cuatro
2. Dedos en tres
3. Dedos en dos

2 SEÑAL DE PRINCIPIO

La mano sobre la cabeza es la señal
de principio, si movemos la mano en
forma de semicírculo estaremos
indicando que queremos ir al inicio
del ejercicio.

¿Cómo?

1 ¡MÁS FUERTE!

2 DESPACIO

Apretando las manos y doblando los codos, estaremos indicando que queremos imprimir mayor fuerza al ejercicio que estamos ejecutando.

La Música

La música con la que acompañamos la práctica de step también contiene señas y las podemos utilizar con efectividad obedeciendo el mapa musical de las canciones (estrofa, estribillo, instrumental, introducción, etc.) y cada parte la podremos utilizar de una manera diferente. Para recordar la señalización con música, regresar al capítulo dedicado a ello en el apartado de aeróbic.

Selección del ejercicio y progresión

Al igual que en la práctica aeróbica, para que nuestra señalización sea fluida y efectiva, realizaremos cambios simples y lógicos a los movimientos básicos, incrementando así su intensidad.

Al mismo tiempo, nuestra coreografía deberá ser fluida; es decir, el final de un movimiento será el principio del siguiente y los movimientos deberán favorecerse los unos a los otros y no perjudicarse.

Requisitos de efectividad

Como ya hemos visto anteriormente en la señalización de la práctica aeróbica, existen ciertos aspectos que debemos cuidar para que nuestra señalización sea efectiva:

1. Combinación adecuada de la señalización verbal y la no verbal.
2. Que sean señas consistentes.
3. Respetaremos el orden de prioridad establecido de las cuatro señales fundamentales: qué, dónde, cuándo y cómo.
4. Habrá un equilibrio en nuestro proceso de enseñanza.
5. Debemos ser directos y concisos en nuestra señalización.
6. Estaremos bien cronometrados.
7. Nos haremos visibles.
8. Haremos buenas y efectivas progresiones.
9. Tendremos buena proyección verbal.
10. Nuestro producto final responderá a nuestras posibilidades.

RELACIÓN DEL STEP
CON LAS MATEMÁTICAS

VALOR DE LOS MOVIMIENTOS

Como en aérobic, también en la práctica de step cada movimiento tiene un valor; es decir, que ocupa un número de cuentas o tiempos determinado (1,2,3, etc.). Siguiendo el orden anteriormente establecido, tenemos:

Movimientos básicos de bajo impacto que no cambian de pierna líder

MOVIMIENTOS		TIEMPOS
PASO BÁSICO	=	4 tiempos

Movimientos especiales básicos de bajo impacto que no cambian de pierna líder

MOVIMIENTOS		TIEMPOS
UVE	=	4 tiempos
REVERSE	=	4 tiempos
OVER THE TOP	=	4 tiempos
ACROSS THE TOP	=	4 tiempos
A CABALLO	=	4 tiempos

Movimientos básicos de bajo impacto que no cambian de pierna líder aplicados al step desde el aeróbic

MOVIMIENTOS		TIEMPOS
MAMBO	=	4 tiempos

Movimientos básicos de bajo impacto que sí cambian de pierna líder

Movimientos		Tiempos
ELEVACIONES	–	4 tiempos
SIDE TO SIDE	=	4 tiempos
LUNGES	=	2 tiempos

Movimientos especiales básicos de bajo impacto que sí cambian de pierna líder

Movimientos		Tiempos
CHASSÉ	=	4 tiempos

Movimientos básicos de bajo impacto que sí cambian de pierna líder aplicados al step desde el aeróbic

Movimientos		Tiempos
MAMBO CHACHACHÁ	=	4 tiempos

Movimientos especiales intermedios y avanzados del aeróbic aplicados al step

MOVIMIENTOS		TIEMPOS
BOX STEP	=	4 tiempos
ELVIS	=	6 tiempos
STOP	=	2 tiempos
SKY	=	2 tiempos
TALÓN	=	6 tiempos
MAMBITO	=	3 tiempos
ARAÑA	=	5 tiempos

LA MÚSICA

En relación a la música, el tratamiento será igual al de la práctica aeróbica, solo que la velocidad musical a la que realizaremos la práctica de step será más lenta, ya que los movimientos no los practicamos al nivel del suelo. La velocidad musical recomendada para que practiquemos step de una forma segura y efectiva es de 128 a 132 BPM.

EL STEP
EN LA PRÁCTICA

CALENTAMIENTO

El calentamiento es nuestra preparación física y nos sirve para elevar las pulsaciones y temperatura corporal haciendo que nuestros músculos y tejidos se vuelvan más flexibles y elásticos, de manera que se adaptarán mejor al ejercicio y con ello reduciremos el riesgo de lesiones.

Además, nos prepara psicológicamente para el ejercicio que viene a continuación de manera progresiva, dejando a un lado los otros asuntos que nos ocupan. Por un lado despertaremos nuestra mente con movimientos sencillos, ya que en un principio nuestra mente no está lo suficientemente despierta para la asimilación de un producto final muy complicado y a su vez iremos depositando nuestra atención en la actividad aeróbica dejando otros temas que nos ocupan en nuestra vida diaria.

Importancia histórica

En sus comienzos, el step solo se utilizaba para programas de rehabilitación y para poder comprobar el estado físico de las personas, usándolo los deportistas de élite en sus programas de entrenamiento. Los fisioterapeutas lo utilizaban en la recuperación de lesiones de rodilla de sus pacientes.

El subir y bajar escaleras es algo muy habitual en nuestra vida diaria, pero no fue hasta los años 80, o principios de los 90, cuando se empezó a considerar al step como un programa de ejercicio estructurado. Fue Jean Millar la persona a la que, mientras recuperaba su rodilla, se le ocurrió utilizar el step como programa de entrenamiento. La popularidad del step ha ido aumentando hasta el punto de convertirse en uno de los estilos aeróbicos más practicados, ya que es un en-

La poca importancia que se daba en el pasado al calentamiento, contrasta con la relevancia actual.

trenamiento divertido con movimientos fáciles de seguir y con el que obtenemos grandes beneficios. Cuando practicamos step estamos practicando un trabajo cardiovascular y de fuerza con mucha intensidad al subir y bajar de la plataforma. Ya hemos hablado en capítulos anteriores de los beneficios que nos aporta el trabajo cardiovascular.

Al igual que en la práctica aeróbica trabajaremos con ambas piernas por igual (realizaremos lo mismo con una pierna que con otra). Una sesión de step deberá contener el número exacto de repeticiones de cualquier movimiento en ambas piernas (derecha e izquierda) y en ambos lados (lado derecho e izquierdo) para lograr el 100% de equilibrio.

Calentamiento actual

Después de aprender de los errores cometidos en el pasado, que ya comentamos en el capítulo del aeróbic, el calentamiento moderno se caracteriza por tener dos partes:

- Una parte dinámica o rítmica.
- Una parte de movilidad (no flexibilidad).

Parte rítmica o dinámica

Esta es la parte en la que elevaremos nuestra temperatura corporal y nuestras pulsaciones, haciendo que nuestros músculos y tendones se adapten mejor al ejercicio y evitando así posibles lesiones. Para ello utilizaremos:

- Movimientos de bajo impacto: es decir, aquellos movimientos en los que al menos un pie siempre permanece en contacto con el suelo. Por ejemplo, el paso básico, las uves, las elevaciones, etc.
- Coreografía sencilla: si la coreografía no nos resulta fácil de seguir, nos vendremos abajo pensando que si el principio es tan complicado, el final será peor; por ello es importante que nos resulte relativamente fácil poder practicar la coreografía para sentirnos capaces y animados de poder seguir la práctica y no frustrarnos.

Movilidad (no flexibilidad)

La movilidad consistirá en la ejecución de los llamados «estiramientos dinámicos».

Existen algunas zonas de nuestro cuerpo que precisarán una atención especial. Dichas zonas son las que soportarán el peso corporal en la sección cardiovascular y es por ello por lo que necesitarán una atención especial. Son:

1. Bíceps femorales.
2. Gemelos.
3. Flexores de cadera o psoas.
4. Lumbares.

1 MOVILIDAD DE BÍCEPS FEMORALES

1. Para calentar, apoyamos la pierna líder sobre la plataforma y dejamos la otra pierna atrás, en el suelo. Llevamos nuestro peso corporal sobre la misma y nos balanceamos cambiando el peso corporal de una pierna a otra.

2. 3. Para hacer el estiramiento dinámico, apoyamos el talón del pie líder sobre la plataforma,con la punta del pie apuntando hacia el techo y seguidamente flexionamos la rodilla de la otra pierna apoyando nuestras manos sobre ésta y estirando así el femoral de la pierna que está estirada sobre la plataforma.

2 MOVILIDAD DEL GEMELO

1. El estiramiento dinámico se completa subiéndonos a la plataforma y estirando el gemelo de la pierna que teníamos atrás en el suelo.

2. Apoyamos este pie sobre la plataforma dejando el talón fuera y con el peso corporal un poco hacia delante, para estirar el gemelo.

3 MOVILIDAD DEL FLEXOR DE LA CADERA
El estiramiento dinámico se realiza contrayendo la pelvis con los bíceps a la vez y quedándonos unos pocos segundos realizando el estiramiento dinámico del flexor de la cadera.

3. Iniciamos el calentamiento con el pie líder apoyado sobre la plataforma y el otro pie de la otra pierna atrás, en el suelo.

1. Realizamos el calentamiento con una pierna sobre la plataforma y la otra en el suelo como en el estiramiento dinámico de gemelos.

2. Contraemos la pelvis y la relajamos en sucesivas ocasiones calentando el flexor de la cadera, ayudándonos con el movimiento de los brazos en la contracción, pues los flexionamos a la vez que contraemos la pelvis calentando a su vez también los bíceps.

4. Nos colocamos en posición de carrera y levantamos el talón de la pierna de atrás en repetidas ocasiones calentando el gemelo de dicha pierna.

4 MOVILIDAD LUMBAR

1. Calentamos colocando nuestros pies paralelos, con las rodillas flexionadas y apoyando las manos sobre las rodillas, encorvando y relajando nuestra espalda en repetidas ocasiones. De esta manera calentaremos de una manera más específica y directa nuestra zona lumbar.

2. Para completar el estiramiento dinámico, bombeamos la espalda encorvándola como si quisiéramos pegar la espalda al techo; podemos tomar como referencia la imagen de un gato en actitud de defensa.

Por supuesto, todos los calentamientos y estiramientos dinámicos los ejecutaremos en ambas piernas realizando un trabajo equilibrado.

Metodologías

Ya hemos comentado que toda la práctica aeróbica ha experimentado un cambio en su historia, mejorando así su seguridad y efectividad. Dicha evolución también la podemos observar en sus técnicas de enseñanza, que con el tiempo han conseguido evolucionar y conseguir la fórmula necesaria para lograr un entrenamiento 100% equilibrado.

Suma

Este método o técnica de enseñanza consiste en ir aprendiendo cada vez un movimiento. En nuestro caso, iremos ejecutando los movimientos uno a uno hasta conseguir aprender el producto final. Por esta razón se llama suma, ya que vamos sumando o añadiendo movimientos hasta conseguir el todo o producto final, lo que también llamamos bloque o coreografía. Un bloque tiene 32 tiempos. Será nuestro método de construcción; es decir, nuestros productos finales o «todos» irán formados por distintos bloques, dependiendo de la duración de la sección o fase de la práctica en la que nos encontremos.

Así que el método SUMA consistirá en ir enseñando o añadiendo movimientos hasta obtener un total de 32 tiempos.

PROGRESIONES DE LA SUMA

1.ᵉʳ MOVIMIENTO A = 3 rodillas.
Bloque = 32 tiempos; MOVIMIENTO A = 8 tiempos ;
32 tiempos bloque: 8 tiempos A = 4 repeticiones o veces que ejecutamos A
= 4 veces. 4* ((8 t) 3 rodillas)) = 32 tiempos.

2.° MOVIMIENTO A + B = 32 tiempos. Posinsertamos B = uves.
PLD: pierna líder derecha (8 t) 3 rodillas femoral + PLI: pierna líder izquierda (24 t) 6* uves.
Vamos sumando los movimientos al movimiento que cambia de pierna líder, que en este caso es A. Como A vale 8 tiempos, el resto de los tiempos hasta llegar a 32, los completamos.

ÍDEM CON LA PIERNA IZQUIERDA

3.ᵉʳ MOVIMIENTO A + B + C = 32 tiempos. Posinsertamos C = 2 mambos.
PLD pierna líder derecha (8 t)1*3 rodillas + PLI pierna líder izquierda (8 t) 2* uves + PLI pierna líder izquierda (16 t) 4*mambos.

La pirámide invertida

En este otro método de enseñanza sumamos el siguiente movimiento, que es C, cubriendo los tiempos que nos quedan, que en este caso son 16 tiempos, ya que a B lo hemos reducido para conseguir la pirámide invertida dejándolo en ocho tiempos.

A + B + C + D = 8 + 8 + 8 + 8 = 32 tiempos, ya hemos reducido A y B que son 16 tiempos, los otros 16 tiempos los cubrimos con el siguiente movimiento que en este caso es C o mambos.

Como un mambo vale 4 tiempos, hasta 16 tiempos que nos quedan, hacemos 4 mambos.
Repetimos con la pierna líder izquierda.

MOVIMIENTO A + B + C + D = 32 tiempos. Posinsertamos D = 2 patadas alternas.

PLD pierna líder derecha (8 t)1*3 rodillas + PLI pierna líder izquierda (8 t) 2* uves + PLI pierna líder izquierda (8 t) 2*mambos + (8 t) 2*patadas alternas.

Sumamos el último movimiento, que es D, cubriendo los tiempos que nos faltan.

Unión

Seguimos el siguiente esquema para obtener el 100% de equilibrio:

MOVIMIENTO A
MOVIMIENTO A + POSINSERTAMOS B (A + B) (lo repetimos tantas veces como sea necesario).
MOVIMIENTO C
MOVIMIENTO D
MOVIMIENTO (C + D)
UNIÓN (A + B) + (C + D)

1.er MOVIMIENTO A = 4* ((8 t) 3 rodillas) = 32 tiempos
2.º POSINSERTAMOS B (A + B) = PLD pierna líder derecha 3 rodillas + pierna izquierda 2*uves.

Repetimos con la pierna líder izquierda.

Ya tenemos la primera parte o pareja de nuestro producto final o coreografía.

3.er MOVIMIENTO C = 4* ((8 t) 3 femorales) = 32 tiempos
4.º MOVIMIENTO D = 4* ((8 t) mambo chachachá + 4 marchas) = 32 tiempos
5.º MOVIMIENTO (C + D) = 2* 3 femorales + 2* mambo chachachá + 4 marchas = 16 t + 16 t = 32 tiempos

En este caso, no podremos reducir más C y D, ya que si dejamos ambos movimientos reducidos a ocho tiempos cada uno, al sumarlos y formar la segunda parte de nuestro bloque, ambos cambian de pierna líder por lo que al ejecutarlos siempre trabajaríamos con la pierna líder derecha C y con la izquierda D, pero nunca con la pierna líder izquierda C y derecha D, así que nos quedamos de la siguiente manera.

PLD   PLI
(2)* (A + B)   (A + B)
(2)* C   C
(2)* D   D

Reducimos por pirámide invertida:

PLD (A + B) + PLI C + PLD D = 32 tiempos
PLI (A + B) + PLD C + PLI D = 32 tiempos

Progresión lineal

Consiste en la conexión de movimientos, realizando pequeños ajustes, bien sean en las piernas o bien sean en los brazos, pero nunca ambos a la vez. De un movimiento a otro difieren bien los brazos, como es el caso de D a E, o bien las piernas como es el caso de C a D.

Requisitos de efectividad y duración

Para que nuestro calentamiento sea lo más efectivo posible, tendremos que:

1. Utilizar una música apropiada para la actividad que en este momento estamos realizando. La música va ligada muy directamente a la práctica de step, por lo que siempre la utilizaremos junto a ella, haciendo que sea más dinámica y divertida:

    - La música deberá acomodarse al tipo o estilo de movimientos que estamos utilizando en el momento y al instante de la práctica de step en que nos encontramos.

    - La velocidad musical también jugará un papel muy importante en la práctica de step, teniendo que respetar una serie de límites de velocidad musical para que sea segura y efectiva. La velocidad o tiempo musical se mide por BPM (bits por minuto) y nunca tendremos que rebasar la extensión recomendada, ni por debajo, ni por encima, de 130-138 BPM. Si vamos más lentos la actividad nos podrá resultar aburrida; por el contrario, si vamos más rápidos, la actividad nos podrá resultar potencialmente insegura.

2. Evitar en la medida de lo posible los movimientos de los brazos por encima de la cabeza.

3. En el calentamiento, siempre evitaremos aquellos estiramientos en los que tengamos que tumbarnos o sentarnos en el suelo, ya que de esta manera nos bajarán en gran medida tanto los niveles de motivación, como el nivel de pulsaciones, rompiendo así la progresión de nuestro trabajo cardiovascular y no cumpliendo con uno de nuestros objetivos propuestos en el calentamiento: elevación de la temperatura corporal y del nivel de pulsaciones.

4. Para que un calentamiento sea efectivo deberá durar de unos 10 a 12 minutos.

Ejemplo de un calentamiento avanzado

Según la destreza o experiencia que tengamos en la práctica de step ejecutaremos un tipo de calentamiento u otro; es decir, en caso de que seamos poco experimentados, nuestro calentamiento será más sencillo, mientras que si tenemos más experiencia en la práctica aeróbica nuestro calentamiento tendrá más dificultad coordinativa. Adaptaremos el calentamiento a nuestras circunstancias para que así cubra mejor nuestras necesidades.

CUENTAS	PIERNA LÍDER	TREN INFERIOR	APROXIMACIÓN	ORIENTACIÓN	TREN SUPERIOR
12	D	4* mambitos cuadrado	Desde atrás, desde a caballo, desde delante, desde a caballo	Lado I atrás Lado D delante	Remo bajo bilateral Palanca corta
4	D	1 patada	Desde atrás	Hacia delante	Palma
10	I	2* arañas	Desde atrás	Hacia delante	Hombros
6	I	2* mambitos	Desde atrás	Hacia delante	Curl de bíceps bilateral Palanca corta
			ÍDEM* 32 I		

SECCIÓN CARDIOVASCULAR

Metodologías de enseñanza básicas

Progresión lineal

Ya hemos hablado en el tema del calentamiento de dicha metodología. Consiste en que conectemos movimientos realizando pequeños ajustes, bien sean en las piernas o bien en los brazos, pero nunca ambos miembros a la vez.

Existen dos métodos o maneras de que podamos conectar estos movimientos entre sí, aparte de la que ya hemos visto en el tema del calentamiento. Dichos métodos o formas son:

MÉTODO ZIGZAG

En el que en cualquier momento de la progresión dejamos de avanzar, nos detenemos y volvemos unos cuantos movimientos atrás en el orden contrario, luego retomamos el orden original y continuamos volviendo a repetir este proceso tantas veces como queramos.

MÉTODO CABEZA-COLA

Unimos dos movimientos y los repetimos un número de veces. Nos quedamos con el segundo movimiento o cola de la pareja, deshaciéndonos del primero o cabeza y lo unimos a otro nuevo, formando una nueva pareja que también repetiremos un número de veces.

Capas o método de transformación

Mediante los elementos de variación vamos a incrementar la dificultad o intensidad de los movimientos básicos.

Los elementos de variación son las capas que introducimos a los movimientos básicos. Establecemos un patrón base al que introducimos gradualmente cambios o capas aumentando así su intensidad. De esta manera iremos de una combinación de movimientos sencilla a una más compleja; es decir, conseguiremos llegar a nuestro producto final.

Para ello:

- Introduciremos las transformaciones o capas de una en una.
- Las capas deberán ocupar el mismo espacio o los mismos tiempos que la base a la que transformamos y respetar la pierna líder que dirige.
- Para introducir las transformaciones o capas seguiremos un orden lógico; es decir, de más sencillas a más complicadas, siendo las últimas en introducir las que requieren mayor dificultad, como son los giros y cambios de dirección complicados. Además, los giros serán siempre opcionales con la posibilidad de poder ejecutarlos o no.

BLOQUE BÁSICO

CUENTAS	PIERNA LÍDER	TREN INFERIOR	APROXIMACIÓN	ORIENTACIÓN	TREN SUPERIOR
8	D	Básico extremo step + rodilla vuelvo	Desde atrás, desde extremo I	Hacia delante	Remo bajo
8	I	2* Box step	Desde atrás, desde delante	Lado D Lado I	Remo alto bilateral
8	I	Avión atrás + marchas a casa	Desde atrás, desde delante	Lado D atrás a frente	Remo bajo
8	I, D	Chachachá encima step	Desde atrás	Hacia delante	

ÍDEM* 32 I

1 MOVIMIENTO A = 4* BÁSICO, RODILLA D, I
Se trata de una variación de aproximación y de orientación con un paso básico al extremo del step y vuelta a la rodilla.

Recuerda pisar con todo el pie dentro de la plataforma.

2 POSINSERTAMOS B = 2* BÁSICOS

3 POSINSERTAMOS C Y D = 4* FEMORALES ALTERNOS

En este caso, se trata de la siguiente coreografía:

- Variación de aproximación y orientación = 2* box step.
- Variación de forma en C = Femoral + 4 marchas.
- Variación de ritmo en D = 2* chachachá sobre step.
- Variación de aproximación y orientación en C = avión + vuelta a casa.

Patrón fijo resta

Consiste en facilitar el aprendizaje de una combinación, para ello introducimos un patrón estable de movimiento que consistirá en movimientos básicos como área de descanso. Una vez que hayamos aprendido la combinación este patrón fijo desaparecerá, de ahí su nombre (resta), pues no forma parte del producto final o bloque, sino que se utiliza para facilitarnos el aprendizaje del bloque o bloques cuando nuestra coreografía contiene un elevado número de capas.

Suma

Como ya hemos visto en el capítulo del calentamiento, este método consiste en que vayamos sumando movimientos de uno en uno hasta llegar a construir el todo o bloque.

Unión

También hemos podido ver ya en el tema del calentamiento este método que consiste en ir uniendo movimientos de dos en dos hasta obtener nuestra parte del todo o bloque. Con ello, creamos parejas de movimientos que aprenderemos y repetiremos tantas veces como sea necesario hasta que, finalmente, los uniremos entre sí formando el bloque.

En los comienzos de la práctica de step, ambas metodologías o técnicas de enseñanza (suma y unión)
ofrecían una proximidad al 100% de equilibrio sin llegar a conseguirla de manera que obteníamos el equilibrio en nuestros productos finales, pero no en nuestras progresiones.

Metodologías de enseñanza avanzadas

Inserciones

Este es el método más avanzado que existe en el momento y con el que conseguiremos el 100% de equilibrio tanto en nuestras progresiones, como en nuestro
producto final, por lo que lo aplicaremos a todas las metodologías, como el caso de la suma y la unión.

Como vimos en el capítulo del calentamiento, empezamos aprendiendo el movimiento o movimientos que
cambian de pierna líder y a estos les vamos sumando el
resto de movimientos que no cambian de pierna líder. En
el caso de que el movimiento o movimientos que no cambian de pierna líder (uves, mambos...), en el producto final vayan por delante del movimiento que cambia de
pierna líder, preinsertamos. Por el contrario, cuando estos
movimientos vayan por detrás del movimiento que cambia
de pierna líder posinsertamos.

Frases cruzadas

Este método es el más complicado de dominar y se caracteriza porque al emplearlo utilizamos movimientos o
combinaciones con cuentas irregulares, movimientos impares o suma de movimientos que hacen un total de
tiempos distintos de 8, 16, 24 o 32 t.

Existen movimientos que podemos utilizar en la práctica de step que tienen cuentas impares o irregulares,
como: el mambito = 3 t, la araña = 5 t o el elvis = 6 t.

En estos casos, cuando utilizamos un movimiento, sea el que sea, con un número diferente de cuentas, no convencionales o no regulares, trabajamos en frase cruzada y no en frase como los anteriores. La sensación musical que percibiremos al utilizar movimientos impares es que vamos fuera de música y que nos incorporaremos a ella cuando con la suma de estos, entremos otra vez en frase, bien sea en el tiempo 8, 16 o 32.

A pesar de que utilicemos movimientos impares, nuestro método de construcción seguirá siendo el bloque, por lo que trataremos de sumarlos o unirlos hasta llegar a los 32 tiempos que lo forman.
Ejemplo:

A = (6 t) 2*MAMBITOS + 2 MARCHAS = 8 t.

A pesar de que utilizamos movimientos con cuentas no comunes e impares como son los mambitos, la percepción musical será mínima, ya que enseguida entramos en música o en frase con el chassé completando los ocho tiempos que forman la frase musical:

A + B = (10 t) 2* ARAÑAS GIRO 5 t + (6 t) 2 RODILLAS = 16 t.

En este último ejemplo sí percibiremos más la sensación que nos crea el trabajar con cuentas poco comunes (de que vamos fuera de música), ya que no entramos en frase hasta el tiempo 16.

Cuanto más tardemos en entrar en frase, mayor será la sensación.

1 MOVIMIENTO A (A = 10 t 2* Arañas Giro 5 t)

1. Pisamos sobre la plataforma con el pie líder derecho, desde atrás en la esquina izquierda de la plataforma.

2. Pisamos con la otra pierna sobre el suelo en el extremo izquierdo del step. Volvemos a pisar la plataforma con el pie líder desde el extremo del step.

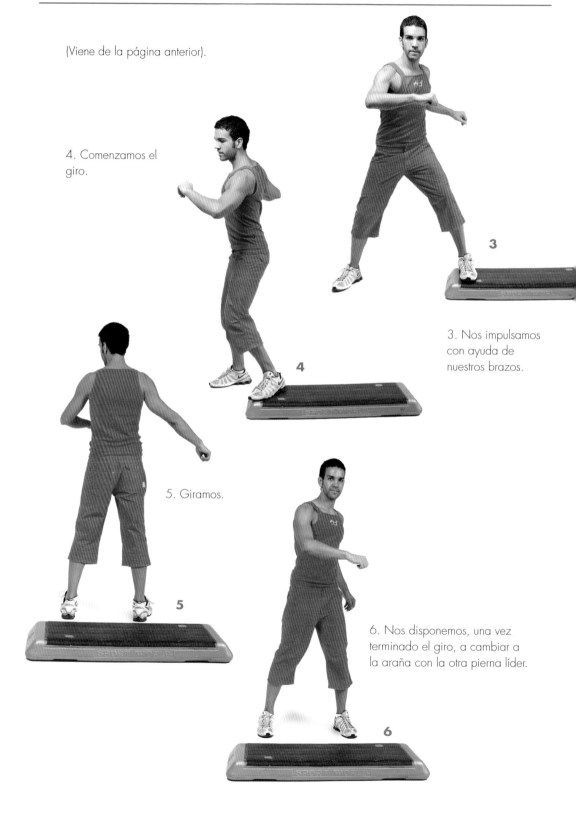

(Viene de la página anterior).

4. Comenzamos el giro.

3

3. Nos impulsamos con ayuda de nuestros brazos.

4

5. Giramos.

5

6. Nos disponemos, una vez terminado el giro, a cambiar a la araña con la otra pierna líder.

6

2 B1 MAMBO ON (B = 10 t 2* Mambo ON 5 t)

4. Finalmente apoyamos la pierna izquierda en el suelo.

3. Dicha pierna la bajamos a la parte de delante del step.

2. Subimos la otra pierna encima.

1. Apoyamos la pierna izquierda sobre el step.

En esta ocasión no entramos en frase hasta el final del bloque o cuenta 32 t.

Un bloque consta de 32 tiempos, si vamos en frase, cada movimiento estará formado por 8 tiempos que son los tiempos de los que está formada una frase musical. Como vemos en este último ejemplo no todos nuestros movimientos están formados por 8 tiempos regularmente. Nuestro primer movimiento A tiene 10 tiempos, por lo que no estaremos en frase, nos encontraremos en frase cruzada. B sigue con 10 tiempos. Al sumarlo con A, juntos forman 20 tiempos, por lo que seguiremos fuera de música o iremos en frase cruzada. El resto de los tiempos que nos faltan para completar nuestro bloque y sumar los 32 tiempos correspondientes los completaremos con la combinación de C + D que hacen un total de 12 tiempos. Es decir, hasta que no sumamos los últimos 12 tiempos –que tampoco son una cuenta habitual– no entramos en frase, o en lo que es lo mismo, en música.

Requisitos de efectividad y duración

Para que nuestra sección cardiovascular o segunda fase de la práctica de step sea efectiva o correcta deberemos tener en cuenta:

1.º Desarrollar el 100% equilibrio: no solo en el producto final, sino también en las progresiones.

2.º El producto final estará adaptado a nuestra destreza en la práctica de step y a nuestro nivel coordinativo y cardiovascular en lo que a la práctica de step se refiere, evitando cualquier posible frustración.

3.º Haremos una correcta utilización de las técnicas de enseñanza oportunas para el aprendizaje de este producto final, teniendo en cuenta que gradualmente vamos de un producto más sencillo a uno más complejo y facilitando así el proceso de aprendizaje.

4.º En caso de que queramos crear una coreografía dedicaremos el 30% de nuestro tiempo a fijar el producto final y el otro 70% lo dedicaremos a desarrollar las progresiones oportunas para poder llegar a este producto final.

5.º En caso de señalización verbal calentaremos nuestra voz para que el tono de voz que empleemos sea el apropiado.

6.º En caso de señalización no verbal practicaremos nuestro lenguaje de signos y símbolos y la amplitud de la señalización de nuestros brazos.

7.º El formato de la práctica de step por lo general es de una hora, es decir 60 minutos por sesión. Estos 60 minutos los repartimos entre sus distintas fases. Ya hemos dicho anteriormente que con la fase del calentamiento venimos ocupando de 10 a 12 minutos para que sea efectivo. Ahora bien, la segunda fase o sección cardiovascular viene a ocuparnos entre 40 y 45 minutos, dependiendo también del tiempo que empleemos en las otras dos fases.

COOLDOWN

Se trata de la última fase de la práctica de step. Cumple las mismas condiciones que en la práctica aeróbica, las únicas diferencias que nos vamos a encontrar serán la utilización de la plataforma para el estiramiento de los grupos musculares y el estiramiento obligatorio de un grupo muscular más obligatorio para que así nuestro *cooldown* sea del todo efectivo. Curiosamente, es un grupo muscular que pertenece a nuestro miembro superior, el músculo pectoral.

Estiramientos

Existe una amplia gama de estiramientos y tendríamos que hacer otro libro para poder plasmarlos todos, pero sí vamos a centrarnos en los que más vamos a utilizar en la práctica de step.

De pie

1 ESTIRAMIENTO DEL FLEXOR DE LA CADERA

Nos situamos encima de la plataforma con ambos pies juntos y las rodillas ligeramente flexionadas. Miramos a un punto fijo, nos cogemos el pie a la altura del empeine, y estiramos el flexor de la cadera ayudándonos a mantener el equilibrio con el otro brazo.

Desde arriba nos vamos al suelo con una pierna flexionada y la otra estirada. Apoyamos una mano en la rodilla de la pierna flexionada y la otra en el step, eliminando así cualquier posible tensión innecesaria y aislando mejor el grupo muscular que en este momento estamos estirando.

2 ESTIRAMIENTO LUMBAR

Apoyamos ambas manos sobre las rodillas y bombeamos la espalda como si quisiéramos pegarla al techo estirando el lumbar.

3 ESTIRAMIENTO DE LOS GEMELOS

Sobre la plataforma, dejamos asomar el talón de una de las dos piernas por fuera dejando caer ligeramente nuestro peso corporal sobre dicho talón.

4 ESTIRAMIENTO DEL FEMORAL

Apoyamos el talón de la pierna que queramos estirar sobre la plataforma con la punta del pie hacia arriba y flexionamos la otra rodilla. Inclinamos el tronco hacia delante y nos cogemos con una mano la punta del pie tirando hacia el pecho aumentando la intensidad del estiramiento.

5 ESTIRAMIENTO DEL PECTORAL

Juntamos las escápulas y nos cogemos las manos por detrás a la altura de las caderas.

6 ESTIRAMIENTO DE LA PARTE SUPERIOR DE LA ESPALDA

Entrecruzamos los dedos o nos abrazamos y bombeamos la parte superior de la espalda.

Sentados

1 ESTIRAMIENTO DEL BÍCEPS FEMORAL

Nos sentamos en la plataforma como si de una colchoneta se tratase. Estiramos la pierna con la punta del pie hacia arriba y flexionamos la otra, en posición de Buda sentado. Inclinamos el tronco ligeramente hacia delante, aproximándonos a la pierna estirada y nos cogemos la parte superior del pie de dicha pierna, con una o ambas manos, haciendo más intenso el estiramiento de la parte posterior de nuestra pierna o bíceps femoral.

2 ESTIRAMIENTO DE LOS ADUCTORES

Nos sentamos sobre la plataforma. Juntamos las piernas y adoptamos la posición de Buda, empujando con las rodillas hacia el suelo.

Tumbados encima del step

1 ESTIRAMIENTO DEL BÍCEPS FEMORAL

Nos tumbamos boca arriba sobre la plataforma
cuidando de que el cuello quede dentro de la
misma sin crear una tensión innecesaria en
la zona vertical, con ambas piernas
estiradas. Elevamos una pierna con la rodilla estirada, situamos ambas manos a los lados de la
pantorrilla o tobillo y nos acercamos lentamente la pierna a la cara estirando la parte posterior.

2 ESTIRAMIENTO DEL GLÚTEO

Apoyamos el talón de la pierna que
queremos estirar sobre la rodilla de la otra
pierna flexionada. Con ayuda de nuestras
manos, nos aproximamos la pierna
flexionada hacia el pecho y estiramos el
glúteo.

3 ESTIRAMIENTO LUMBAR

Flexionamos ambas piernas y
aproximamos las rodillas al pecho.

Diferentes formas de práctica

Existen diferentes formatos de práctica aeróbica, todos ellos comprenden los 60 minutos que dedicamos a una sesión aeróbica solo que los distribuimos de diferente manera:

1. FORMATO NORMAL: Calentamiento 10-15 minutos + fase cardiovascular 40-45 minutos + *cooldown* 6-10 minutos.
2. FORMATO CON TONIFICACIÓN: Calentamiento 10-12 minutos + fase cardiovascular 40 minutos + *cooldown*: tonificación 5 minutos + estiramientos 5 minutos.

Normalmente en una sesión práctica de step nos da tiempo en una hora a crear 3 bloques de 32 tiempos cada uno y luego cortarlos.

Otro formato de práctica será crear 5 bloques cada uno de ellos de 16 tiempos simétricos y al final de la fase cardiovascular de la sesión de step los unimos entre sí.

Consejos prácticos

1. ROPA adecuada, que nos permita la ejecución de los movimientos, en la práctica de la actividad. Es decir deberemos utilizar ropa de deporte y no de calle.

2. ROPA INTERIOR; también de gran importancia dentro de la práctica aeróbica, tanto en hombres como en mujeres. Deberemos utilizar ropa interior apta para la práctica deportiva.

3. CALZADO; si la ropa es importante para la práctica de la actividad de step el calzado es

Beber agua y estar debidamente nutridos evita mareos y bajadas de tensión.

obligatorio y fundamental en ella. Deberemos utilizar un calzado específico para la práctica de step, zapatillas de deporte que tendrán que tener unas buenas cámaras de aire que absorban la tensión del impacto durante la práctica aeróbica evitando así posibles lesiones.

4. BUEN ESTADO FÍSICO si practicamos actividad de step, lo normal es cumplir con ciertos requisitos de salud y *fitness*, que nos permitan evolucionar correctamente durante la sesión. Beberemos agua

para estar lo suficientemente hidratados, comeremos bien para estar correctamente nutridos, de esta manera evitaremos posibles mareos, bajadas de tensión como consecuencia del gran esfuerzo físico que estamos realizando, sobre todo en verano.

5. MOTIVACIÓN es muy importante que cuando nos dispongamos a realizar cualquier práctica deportiva tengamos una gran dosis de motivación para disfrutar de esta actividad.

6. PRACTICAREMOS LA ACTIVIDAD EN UN AMBIENTE SANO, SEGURO Y CON BUENA VENTILACIÓN, es decir, ambientes que no contengan humo, ni gases que nos puedan perjudicar.

7. EVITAREMOS TOMAR SUSTANCIAS INHALANTES ANTES Y DESPUÉS DE LA PRÁCTICA DE STEP, pues este tipo de sustancias nos secan las glándulas salivares y en consecuencia nuestra garganta.

8. PRESTAREMOS MUCHA ATENCIÓN AL COMIENZO DEL EJERCICIO, deberemos de asegurarnos tener un buen comienzo en la práctica de step.

COREOGRAFÍA
FINAL

CUENTAS	PIERNA LÍDER	TREN INFERIOR	APROXIMACIÓN	ORIENTACIÓN	TREN SUPERIOR
10	D, I	2* arañas giro	Desde atrás	Contrario agujas reloj	Naturales
10	D, I	Mambo ON	Desde atrás, desde delante	Lado I Lado D	
8	D	Patada, chachachá, reverse, bajo del step con una rodilla, mambo atrás	Desde atrás	Contrario agujas reloj	
4	I	Reverse	Desde atrás	Hacia delante	
			ÍDEM* 32 I		

El movimiento A de 2* arañas giro y el B1 mambo ON se han especificado en fotografrías en la sección cardovascular.

1 PATADA, CHACHACHÁ, REVERSE, BAJO DEL STEP CON UNA RODILLA, MAMBO ATRÁS

Patada

Chachachá

TIEMPO 3

TIEMPOS 1 y 2

TIEMPO 4
REVERSE

Apoyamos la otra pierna
sobre la plataforma del
step.

TIEMPO 5

Bajamos del step
apoyando la pierna
derecha en el suelo.

TIEMPO 6

Con una rodilla.

TIEMPOS 7 y 8

Con la coreografía final se ha
cerrado el ciclo de aprendizaje
de estas dos técnicas deportivas,
donde el desgaste aeróbico es la
base de las mismas.

Mambo atrás.